누아르물1

Noire-genre1

누아르물1

발 행 | 2024년 03월 20일
저 자 | 장성우(살생금지)
펴낸이 | 장성우
펴낸곳 | 인생은 인쇄다
출판사등록 | 2023.7.17.(2023-000037호)
이메일 | jsoooosj@naver.com

ISBN | 979-11-93868-06-5

www.bookk.co.kr/jsoooosj.upaper.kr

누아르물 1

장성우(살생금지) 현대 판타지 소설

목차

작가의 말

작가의 말. 입니다. 음. …….
제가 녹음한 랩, 을 들으면서 적고 있습니다. 멜랑꼴리… 하진 않군요. 밝은 느낌의 곡이라. 아무튼.

오늘은 24년, 3월, 14일입니다.

새로운 책을 적을 때마다, 가장 좋아하는 건 작가의 말을 적는 이 구간입니다. 다른 작가들도 다 이걸 적기 위해 작품 활동을 하는지도 모릅니다.

아무튼.

누아르물. 평범한 씬 하나로 시작했다가, 친구의 권유로 '판타지'가 조금 섞여서, 현대 판타지가 되었습니다.
빠른 템포일 수도 있고… 한 권으로 올리자니 페이지 수가 과하여… 책 가격이 감당이 안되더군요. 조금이라도 여러분에게 가치 있는 시간이 된다면 저의 행복일 겁니다.

누군가의 인생,
을 담은 글이고… 판타지래도 그건 변함이 없습니다.

즐기실 수 있으시면 좋겠습니다.

24.3.14.木.저자, 장성우:살생금지 올림

5

느와르noir(-e, 프랑스어)
noir;영어

명사: 암흑가[누아르] 영화(film ～), 암흑가 소설(roman ～)(암흑가를 무대로한 비정한 범죄물).

-출처 : YBM 올인올 영한사전

‒ ‒ ‒ ‒ ‒ ‒ ‒ ‒ ‒ ‒ ‒ ‒ ‒ ‒

Prologue.0

"씨발."

나는 욕지기를 뱉었다.

무언가 갈려 나오듯 씹혀 뱉어진 말은 발음이 강했다. 눈 앞에는 초라하게 누운 남자가 있었다. 사내, 는 눈을 감은 채다.
　병상이었다. 온통 흰 병실. 가구들이 몇 개인가 놓여져 있지만 그다지 사용감은 없었고, 사람이 사는 듯한 생활감도 방에는 없다.

병문안을 오는 이들도 드물다. 남자의 살아온 길 탓이 아니라, 단순히 위중한 상태였기에 방문객이 제한되는 이유다.
　그럴만도 하다. 남자는 칼에 찔리고, 심지어 총상까지 입었으니까. 죽지 않은 것이 용하다.

그 안색이 꺼멓다. 생명력이 강한 남자였다. 그의 앞에 누워 미동도 없는 사내 말이다. 원래는 더럽게, 너무 정정해서 수많은 인간들이 그의 죽음을 바랐지만 실현시키지 못했다. 지금은 그것이 코앞에 다가온 상황이다.

나, 는 남자의 죽음에 기여했을까.

물어봐야 할 정도로 확실하게 기여하지는 않았다.

소리 없는 흰 병실. 돈을 많이도 처받아놓고 이따금씩 깜박거리는 흰 전등이 거슬린다. 조직의 거물인 사내였던 터라, 비싼 병원에 넓은 독실을 차지하고 이처럼 초라하게 누워 있었다.

남자가 죽기만을 바랐던 무수한 정적들이 조직 내에 있었다. 최근의 며칠은 지나치게 하드했다. 다같이 날짜를 짜맞추기라도 했는지, 몇 놈들이 연달아서 지랄을 했다. 그 결과가 지금의 이것이다.

나는 사내의 얼굴을 옆에 앉아 쳐다보며 간신히 입술을 떼었다.

"…형님."

*

"이 개-새끼들. 들어와 이 씹새끼들아."

남자는 막다른 길에 몰려 있었다. 몇 개의 차를 부숴먹고, 자신

7

이 타던 차도 어느 부둣가에서 다이빙을 시켜버렸다.

조직이 소유한 어느 항구의 적재소다. 낡은 컨테이너 박스들이 무심하게 늘어져 있고, 그 틈새로 난 어둔 길을 따라가다 보면 지금 사내가 있는 곳이었다.

조직원 외의 인적은 결코 발견할 수 없는 곳. 사내가 더러운 삶을 살면서 많은 인간을 없앴던 장소에서, 그 역시 마찬가지로 마지막을 맞이하고 있었다.

"새끼들 오리니까 못 오는 게."

어둔 길. 컨테이너 박스가 어지럽게 늘어져 있는 곳에 골목이 형성되어 있었고, 도망칠 곳 없는 사내는 벽을 등진 채 십 수 명의 남자들을 마주하고 있었다.

제각기 칼이니 봉이니 따위를 들고 있는 인간들의 기세가 사납다. 그럼에도 몰린 사내의 기세가 더 사나웠는지 거리를 벌린 채 먼저 다가오는 자가 없었는데, 남자가 말을 하던 와중에 한 놈이 빠르게 뛰쳐나와 다가왔다.

말을 하다 끊긴 사내는 그를 막아서기 위해 자신이 든 사시미 칼을 휘둘러야 했다.

모여있는 자들 중에 제법 쓸만한 놈이 있던 모양이다. 순식간에 다가와 쇠막대를 휘둘렀고, 사내, 진형은 칼로 그 끝을 받아 넘겼다. 휙, 하고 사내에게 닿지 못하고 날아가는 철봉이다. 달려온 놈이 자신이 한 휘두름에 균형을 잃는 듯하자 진형은 그 틈을 놓치지 않고 품 안으로 들어갔다.

8

따뜻한 포옹을 해 줄 셈은 아니었다. 피차 그럴 처지들은 아니었고. 진형이 달려든 검은 정장 차림의 사내의 복부에 회칼을 쑤셔 박았다.

거치는 것이 많았지만, 칼코등이가 없는 칼을 잘도 사용해 사람의 피부를 뚫었다.

"큭."

달려든 놈이 울컥거리는 신음을 뱉었다. 입가에 흐르는 선혈이 그의 심정을 대변한다.

목진형은 그대로 사시미 칼을 빼들었다. 남자의 품에서 빠져나오면서 그가 들고 있던 철봉도 뺏어들고서 거리를 벌린다.

휘이 휘익.

진형이 거칠게 허공에 대고 쇠막대를 휘둘렀다. 사람을 때려 기절시키고나 골절상을 유발하게끔 만들어진 것이 묵직하게 파공성을 냈다.

여러 사내들이 있었지만 섣불리 진형에게 덤벼들지 못하고 시간을 쟀다.

목진형은 간부의 자리에 오르기 전에 원래 조직의 가장 매서운 공격조였다. 적대 조직의 간부를 노리는 히트맨같은 짓거리도 어렵잖게 해내던 괴물같은 인간이었다.

그로부터 몇 년의 시간이 지났고, 그 팔이 녹슬었을까 했지만 여전히 가락은 남아 있었다.

*

"......"

진형은 저 혼자서는 숨을 쉬는 것도 어려워 호흡을 돕는 마스크를 끼고 있었다.

할만한 조치는 실려왔을 때 이미 다 한 모양이었고, 나머지는 자연적인 치유력이나 환자 본인의 의지, 생명력, 혹은 하늘의 뜻에 달린 듯했다.

'나'는 그런 진형을 내려다보고 있다.

"…형님." 하고 메마른 소리가 튀어나왔다. 약간은 갈라지고 가라앉은, 오래도록 말을 않고 있다가 뱉은 소리였다.
다행히 시간은 넉넉하다. 이 시간 때에 진형을 찾아올 방문객은 없었다. 그의 편이라고 할만한 조직원들 중 가장 높은 자리를 차지한 게 나였으니까. 그를 이렇게 만든 인간들이 찾아올 곳은 아니었다 지금 이 때의 이 자리가.

"......"

회한이 사무친다, 라는 관용구가 이토록 절절하게 느껴질 수 있을 줄은 몰랐다.

나는 진형의 앞에서 무수한 고민을 했다.

단적으로 말해 어떻게 해야 살아남을 수 있는가, 에 대한 질문이었다.

진형은 쓰레기였다. 나도 그러했지만,

그는 쓰레기 중에서도 거물이었다.

조직에 들어와 살아남기 위해 아등바등 하던 시절부터 만나 같이 서로의 길을 터주던 사이였다.

어느새 거대 조직의 한 계열을 차지한 몇 인자 즈음이 서로 되었고, 아우는 언제나 형의 아래 자리에 있었다.

그의 뒤를 보고 닦고 돕고. 많은 일을 했다. 조직에서 위로 올라간다는 게 그런 일인 줄은 알았지만, 진형은 점점 냉정해져갔고 괴물이 되어갔다.

이전까지 둘은 그저 비참하고 비루한 인생에서 발버둥치던 두 놈에 불과했다. 생존의 문제가 아니라 조직을 집어삼키기 위해 달렸던 중간부터 그들은 무수한 인간들을 죽이거나 혹은 그들의 인생을 망가뜨렸다.

그저 쓰레기가 쓰레기통에서 쓰레기들끼리 난리를 친 것에 불과하다면 어쩔 수 없다고 생각했으리라.

조직의 사업 중에는 불법적인 것도 많았고, 개중엔 사회의 일반적인 사람들에게 큰 해가 가는 것도 종종 있었다.

마약 사업에 손을 대고, 그게 어린애들한테까지 가는 꼴을 보면서 나는 더 이상 진형의 뒤를 마냥 지지할 수 없었다.

살아남기 위해 모든 짓을 했지만, 결국 그 악다구니같던 감정을 관계 없는 이들에게까지 화풀이삼아 풀 필요는 없었다. 본래 쓰레기같던 놈들끼리야 수라 지옥에 빠진 것처럼 굴더라도, 멀쩡히 살던 인간들을 망칠 필요까지는 없는 것이다.

진형은 그런 조직의 사업과, 무분별한 확장을 방치했다. 다섯 손가락 안에 드는 거물급 간부가 용인한다는 건, 곧 지지한다는 뜻이었다.

조직은 불운인지 다행인지 모르게 점점 커져만 갔고, 나라에서도 주목하는 수준이 되었다. 사업은 막대한 돈을 굴렸고, 그만큼 간부들의 욕심도 커진다.

진형이 용인했던 급진적인 개새끼들은 자신들의 심보를 채우기 위해서 더 악랄하게 굴었고, 사회를 망쳐갔다.

그들의 욕심처럼 사업 확장이 이루어지다 어느 한계점에 달하자, 간부간에 의견이 갈렸다. 더 이상 파이가 커질 수 없다면, 나눠 먹을 동료를 죽이자는 결론에 도달한 것이다.

그 사이에 많은 복잡한 사연과 사건이 있지만, 결론은 이러하다.

진형을 주축으로 하는 계열이 가장 큰 피해를 입었다. 말단 조직원들이야 멀쩡하지만, 결국 수뇌부를 자처하는 간부진들이나, 윗대가리라 할 수 있는 목진형 사장이 습격을 당했다.

그 수라장같던 습격과 암투, 암살, 뒷공작 속에서 내 지분이 전혀 없다고 말할 수 없는 것이 헤아리기 어려운 참담함이었다.

'나'는 비령非寧 그룹 계열사의 이사였고, 목진형의 보좌이다. 그의 행동 반경과 스케쥴은 모조리 알고 있었고, 최근 3주간 연이어졌던 조직 내 당쟁의 흐름과 습격 역시 미리 들은 바가 있었다.

그 총칼이 난무하는 도가니 속에서 누구의 보신을 위하야 나는 움직였는가.

목진형의 목숨보다 내 것을 조금 앞에 두었다는 걸, 그리고 그를 구할 수 있었던 타이밍이 있었음에도 내 행동에 망설임이 있었다는 걸 부인하기 어려웠다.

그게 지금 내가 느끼는 참담함의 종류였다.

씨발.

떨어지지 않는 입이 열렸다. 침상에 누운 사내, 수염난 40대 아저씨의 표정이 무기질적이다. 다시 깨어날 수 있을지 잘 모른다는 의사의 말이 뇌리 한구석에 박혀 있다.

"……형님, 아니, …… 형. ……. …씨발. ……."

가만히 앉아있던 멍청한 놈이 털어놓듯 속내를 말한다. 나, 는 머저리다. 갈팡질팡하다 이도 저도 아닌 길을 골랐고, 그 결과가 이것이었으니.

제대로 된 충고 하나 건네주지 못했고, 마음을 전하지도 못했고, 진형이 이 꼴이 되기 전에 직접 도와주지도 못했다. 후회 뿐이라는 말이 정확하다. 내 심정은.

"……진형이 형. … 아우 왔소. ……. 미안, … 미안해요."

울먹거리면서 말이 어눌하게 튀어나오고, 눈물이 흘렀다. 사내새끼가 눈물은, 하고 쌍욕을 내뱉거나 어깨라도 툭 치던 진형은 더 이상 듣지도 말하지도 못했다.

아직 죽은 것은 아니었으나 그와 다름이 없었다. 하나님을 믿지도 않는 머저리는 이 이상 할 수 있는 일이 없었다.

나는 가만히 고개를 처박고, 손을 괴어 이마를 받치고 한참을 떨구고 있었다. 약한 꼴을 보이지 않는 건 긴 조직 생활에서 익힌 지혜이자 처세술이었다.

　"……."

　세상이 멈췄는지 누군가의 심장이 멈췄는지, 혹은 머릿속의 생각이 멈췄는지. 지독하게 조용한 시간이 지났다.
　아주 작은 소리로 누군가 말을 했다. 내 입은 단혀 있었으므로, 그 말을 할 인간이 하나 뿐이었다.

　"……씹… 새끼야."

　"……."

　내 이름은 씹새끼는 아니었고, 김영석이다. 비령 계열사의 상임 이사이자 돌격조로 예전부터 이름을 알린 김영석을 씹새끼라고 부를 수 있는 사람은 지금 그리 많지 않았다. 개중에서 가장 익숙한 목소리가 나를 불렀다.

　덜컥, 하고 의자 위에 얹은 몸이 흔들릴 정도로 놀라 고개를 처들었다. 진형이 눈을 뜨고 있었다. 가느다랗게 뜬 눈가가 파르르 떨린다. 호흡기 너머로 그가 말하고 있다.

　"……. 영… 석아. ……. 미안… 하다. ……. 형… 은… 너… 못… 돌봐… 줄… ㄱ… 같다…."

가느다란 음성으로 진형이 말했다. 불분명한 말이었지만 귀에는 똑똑히 들렸다.

씹새끼, 라는 말은 미리 습격 사실을 알고도 진형을 제대로 대피시키지 못한 보좌관에 대한 욕이었다.

영석아, 는 이십 년을 넘게 알고 지낸 동생을 부르는 말이었고,

미안하다, 는 말은 조금 이해하기 어려운 말이었다.

내 스스로의 잘못이 뇌리 한 켠으로 주마등처럼 스쳐 지나갔다.

미안하다, 라는 말은 내가 들을 말은 아니었다. 형이 똑바로 가지 못하도록 옆에서 더 도와주지 못한 못난 동생이 할 말이었고, 마지막 순간에 그의 위기를 두고 망설였던 모지리가 할 말이었다.

진형이 가느다랗게 숨을 쉬면서, 간신히 고개를 옆으로 돌려 내 얼굴을 보았다.

자상으로 길게 베인 뺨의 꿰맨 자국이 참담하다. 그럼에도 씨익,

하고 반달처럼 한쪽 입꼬리를 구겨 올리는 것이 목진형의 표정이었다. 사내는 터프한 인간이었다. 친한 사이가 아니라고 하더라도, 목진형의 그런 강인함은 인정할 수 밖에 없을 것이다.

"……너……. ……생각…… 잘……. ……. 해…라…. 조직…… 보다…… 너…… 사… 는… 게…… 중요… 하다……."

숨소리에 섞여 들려오는 음성이었다. 왜인지, 지금 이 순간에 진형의 말이 무엇보다 명료하고 또렷하게 들렸다.

15

"······경··· 찰······ 이랑······ 붙··· 어먹······ 던가······ 알···아서······ 해······. 난··· 여······기······ 까······,"

한 문장을 길게 토해내던 진형의

눈빛이 어느 순간 사그라들었다.

분명 뜨고 있던 인간의 눈에 빛이 죽어가듯 사라졌다.

그리고 그 순간에 내 뇌도 같이 멈추어버렸다.

덜그럭,

하는 소리가 머릿속에서 나는 것 같다.

평소에 몸보다 빨리 돌아가던 머리 회전은 나를 이 날 이 때까지 살게 했다. 조직의 항쟁과 정쟁 속에서.
그런데 지금은 아무런 기능을 하지 않았다.
머리만 굴려대던 멍청이, 모지리, 머저리 새끼는 지금 그마저 잃어버렸다.

형의 죽음 앞에서 인지되지 않는 슬픔이 그저 가득 존재한다.

"아······ 아아아······."

삐,

하는 바이탈 사인을 체크하는 기계의 알람 소리가 울음 사이에 섞여 울렸다.

"아아아아……."

흐느끼는 소리가 입 사이에서 흘러나온다.

눈물과 같이 울음 소리가 새어 나왔다.

심장에서 물이 빠져나가는 것 같은 감각이었다. 머리에서 뇌수가 뽑혀 나가는 것도 같았고. 아무런 생각이 나지 않았고, 터져 나오는 걸 막지 못해서 한참을 울었다.

"으아아아아아… 아아아!"

병실에서 괴성처럼 울자 그것을 들은 건지,
혹은 기계에 연동된 알람이 어디론가 전해졌던 건지,

벌컥!

하고 개인실의 문이 열리면서 소란스럽게 의료진들이 들어왔다.

"으아아아아!"

의사나 간호사, 스텝들 여러 명이 뛰어들듯 방 안으로 들어왔고 개중에 몇 명은 내 팔다리를 쥐고 뒤로 끌어냈다.

"심장 충격기 켜! 150J!"

의사처럼 보이는 자가 흰 가운을 입고, 헝클어진 머리로 이런저런 내용을 소리치며 진형을 건드렸다.

울부짖는 개처럼, 나는 계속해서 소리를 지르면서 뒤로 끌려나갔다.

"형…… 형! 으아아아!"
"보호자 분, 진정하세요!"

간호사의 말 소리가 귓전에 울렸지만 제대로 들리지는 않았다.

아예 병실 바깥으로 끌려가기까지 한참이 걸렸다.

*

1. 기억

삐-.

시끄러운 알람 소리가 귓전에 울리

"⋯⋯."

는 건 착각이었다.

마지막으로 맴돌던 기억이 뇌리에 박혀서, 환청이 들린 것 뿐이다.

김영석은 눈을 떴다.

8월 9일.

오늘의 날짜였다.

그는 어느 맨션의 거실에서 눈을 뜬 참이다. 소파에 대충 구겨져서 잠을 잔 터라, 뒷목이 심하게 뻐근했다. 허리며 목이며, 결리지 않은 곳이 없다.

벌써 그도 30대 후반이다. 서른 일곱은 애매한 나이이기는 했다. 인식에 따라 중반이라고 볼 때도 있는 것 같다.

켜둔 채 잤던 형광등의 백색광이 눈을 따갑게 찌르고 있었다.

영석은 피곤한 안구를 문질러 풀었다. 쏟아지는 피로감은 물리적인 것보다도, 정신적인 게 크다.

그는 잠시간 멍을 때리듯 누워서 있다가, 한 일 분 정도 가만히 있은 후에야 자리서 일어났다.

천천히 걸어 찾는 것은 한 구석에 있는 작은 냉장고다. 그리 큰 것을 사두지도 않았다. 맨션의 구조는 단순했다. 방 두 개, 화장실 하나. 넓은 거실과 부엌, 식탁 등.

방 하나하나가 그리 작지 않았다. 거실이 무엇보다 넓었고. 다용도실 따위의 공간들이 있으나 굳이 방으로 세지는 않았다. 팔 때의 부동산업자도, 살 때의 그도.

여기저기 널브러진 잔해가 있다. 즉석식품 따위를 먹고 대충 씻어 용기를 쌓아둔 것들이다. 쓰레기 봉투에 모아 종류별로 갖가지 물건을 넣어두었다. 입고 빨지 않은 옷가지가 바닥 여기저기에 널려 있기도 하다.

그는 어젯밤 양복을 입고 그대로 잠들었다가, 일어났다.

고단한 삶이다.

XX.

그는 속으로 욕지기를 뱉었다. 입에 달라붙는 말이다. 그만큼 최근의 생활은 지독했다.

진형이 죽었다.

그 생각을 할 때마다 심장은 내려앉는다. 그리고 머릿속엔 큰 충격을 받은 것처럼 돌덩이가 하나 들어차 있었다.
다만 다행인 것은, 그가 무섭도록 냉정해진다는 것이다.

그 진한 사실은 현실이었다.

그가 몸담고 있는 조직은 쉬운 곳이 아니었고, 그의 위에 있는 목진형 사장이 죽으면서 사내의 정쟁은 더욱더 가속화되었다.

목진형 계열의, 비령 물산이라 이름을 두고 있는 회사 내의 조직원들과 그 식구들을 보전하기 위해서 부던히 애를 써야 했다.
이해 관계가 맞는 자들과 만났고, 결국 그가 선택한 것은 비령 금융을 맡은 어느 간부였다. 기세가 좋은 전투조 애들을 데리고 있었고, 그 윗대가리 역시 무투파의 일원인 데다가 손속이 거칠었다.
손속만큼 대가리 또한 거칠었다면 대화가 되지 않았겠지만, 아수라장 같은 파벌 싸움 내에서 그나마 말이 통하는 인간이었다.

그도 이야기가 가능한 조력자를 찾고 있었고, 영석 역시 마찬가지였다.

개새끼들, 쓰레기들. 그리고 인간 말종과, 탐욕으로만 굴러가는 엔진을 가진 작자들.
그런 인간들이 즐비한 조직이었다. 결국 범죄 조직이라는 건 그런 법이었다. 야비하고 더러운, 비열하고 치사한.

영석은 조직이 넌더리가 났다. 가능하다면 전부 쓸어버리고 싶을 정도로.

　조직이 비대화되면서, '현대식'에 맞는 '현대화 범죄 조직'의 형상을 추구한다면서 사업을 확장하고 번듯한 회사같은 겉 껍데기를 쓰기 시작하면서 눈뜨고 봐주기 힘든 정도가 되었다.
　그럴싸한 이름을 내걸고 돈을 번다고 하지만, 양아치들이 운영하는 회사의 방식은 그리 깨끗한 게 아니었다.

　고작 사채 대부업이었고, 용역들을 동원한 일감 가로채기였으며, 더러운 정치인이나 재력가와 손을 잡은 뒤 그들의 뒤를 봐주고 후원을 받는다. 마약 역시 쏠쏠한 사업 아이템이었으며 관계 없는 이들의 인생까지 파탄으로 끌고 들어가고 있었다.

　원래 그렇던 놈들이야, 그 구더기 들끓는 곳에서 산다지만. 멀쩡하게 살 수 있는 이들의 인생까지 비틀고자 한다면 상리를 넘은 짓거리였다.
　영석은 조직이 더 이상 커져서는 안된다고 생각했다.
　조용하게, 더러운 놈들끼리 치고 박으면서 얼마 안되는 돈으로 제 놈들 입가에 풀칠이나 하던 때가 그나마 나으리라. 쓰레기들은 쓰레기답게, 조용하게 숨죽이고 사는 것이 사회를 위한 일이었다.

　영석 역시 그런 쓰레기들 틈에 몸담고 있는 한 명이었다.

　진형은 유일하게 말이 통한다고 해도 좋을 정도의 인간이었으나, 그의 인생 말미에는 비겁한 꼴을 많이 보였다. 상종 못할 부류의 간부들 앞에서 입을 다물었고, 계파의 보신을 위해서 넘어간 일들이 많았다.
　돈은 없어도 곧 죽어도 가오かお(얼굴의 일본말. 한국에서 체면

과 자존심을 이르는 속된말)는 있다던 인간답지 않은 모습에 영석은 많은 고민을 했다.

그를 끝까지 따라도 될 지, 아닌지에 대해서.

어쨌든 거대한 조직의 흐름과 변화의 물결 속에서 목진형이 할 수 있는 일은 많지 않았다. 그건 인정한다. 괜히 튀어 나갔다가 돌을 맞을 수도 있었으니까. 그리고 가만히 버티고 있었는데도, 결국 칼과 총을 맞았다.

그렇게 먼저 간 못난 형님은, 더 못난 아우에게 당부의 말들을 전했다. 별 것 아닌 말들이었다. 일상적으로 할 수 있는 말들. 그러나 이 더럽고 어두운 조직의 세계에서는 쉽게 꺼내기 힘든 이야기였다. '신뢰'에 관한 것이었으니까.

더러운 조직은 상관 말고, 네 목숨 챙겨라. 설령 경찰에게 가서 빌빌거리는 한이 있더라도, 살 길 모색해서 새 삶 살아라.

영석은 그제서야 알맹이가 뒈진 줄 알았던 형님이 여전한 인간이었다는 걸 깨달았다.

마지막 순간에 그와 함께 해주지 못한 자신을 자책했고, 미친놈처럼 울다가 실의에 빠졌다.

결국은 그의 말대로 움직여야 했다.

복수,

를 할 수 있다면 좋겠지만 자신의 힘만으로는 부족했다. 일단은 도생이었다. 삶을 도모하고, 그 다음에 조직을 정리할 수 있다면 해야 하리라.

경찰에게 가서 그들의 협력을 구하는 것도 좋다. 당장 밑바탕을 만들어야 한다고 느꼈다. 법보다 칼과 총이 가까웠으므로, 적어도 적당한 대치 상태를 만들만큼 체급을 키워야만 했다.

진형을 비롯해서 계파의 간부들이 많이 갔다.

영석은 비열하게 보일 정도로, 별다른 상처가 없었지만 그를 제외한 간부들이 많이 죽은 것이다. 갑작스러운 습격은 때와 장소를 가리지 않았다. 머리가 좋은 영석을 치는 것을 부담스러워 한 자들도 있으리라.

그는 진형과 함께 밑바닥에서 조직의 머리까지 올라온 입지전적인 인물이었고, 싸움에 능했으며 머리 회전이 빨랐다, 늘. 영석의 대가리에 도움을 받지 않은 인간이 그리 많지 않았다. 가급적이면 그를 살려서 자신들의 편에 두고 싶어하는 계산도 있으리라.

영석은 자신이 일단 안전하다는 사실을 깨달았고, 거기서 더 적극적으로 움직이지 않았다. 누구를 믿어야 할 지 가늠이 제대로 되지 않았던 까닭도 있다. 지금은 멈춰설 수 없는 상황이었고, 곧 죽을 판국이었으므로 적극적으로 뛰어 연합을 구성했다.

비령 금융사 계열의 간부, '최기욱'은 그래도 손을 잡았다면 믿을만한 인간이었다. 그는 망나니였고 또라이같은 짓을 많이 했지만, 적어도 뒷말은 안했다. 영석의 제안과 손을 뿌리쳤다면 뿌리쳤지, 다른 말을 하지는 않으리라.

그가 비교적 적은 세를 가지고도 살아남는 건 그 지독한 성정과 휘하 충성스러운 무투파 조직원들 때문이었다.

 최기욱 파를 없앨 수는 있지만 먼저 건드리는 자들이 가장 손해가 크리라. 몇 개 계열이 정쟁을 벌이고 있는 형국에서 상처를 입는 건 다른 녀석들의 먹잇감이 되기 좋은 꼴이다.
 앞서 나가 그런 부담을 지고 싶어하는 자는 없었고, 이 뒷세계에서 가장 희박한 단어가 바로 신뢰라는 말이었으므로 아이러니하게 최기욱 파는 살아남았다.

 "습."

 마른 침을 삼켰다.

 영석은 냉장고에서 작은 물병 하나를 꺼내 따서 마셨다. 간밤에 목이 말랐던 모양인지 벌컥대면서 반을 단숨에 비운다.

 푸후,

 물기 섞인 한숨을 뱉어내면서 고개를 젓는다. 대강은 씻고, 다시 나가봐야 하리라. 그의 행적을 아는 자가 많지 않다. 지금은 조직원들에 대한 연락도 따로 숨겨 놓은 핸드폰으로 간접적으로 통하고 있었다. 만나야 할 사람에게, 만나야 할 때에만 자신의 동선을 알리고 나머지는 몰래 움직이고 있다.

 당장 영석을 없앨 유인이 없다고 하더라도, 결국 언제 미친 놈들 중 하나가 머리가 돌아버리면 칼이 날아올 지 모르는 상황이었다. 최근에 막나가기 시작한 새끼들은 총을 잘 이용했으므로, 정말 영화처럼 저격이라도 당할 지 모르는 상황이라 주의를 각별히 기울여야 한다.

　노상에서 넋놓고 있다가 한 순간에 당하는 게 꿈같은 일이 아닌 것이다.

　"……."

　삐리리리.

　무미건조한 착신음이 울렸다. 핸드폰에 설정해 둔 소리가 그것이었다. 잘 튀지도 않고, 시끄러운 자리라면 묻힐 법도 하다. 영석은 소파 근처의 탁상에 놓아둔 핸드폰을 향해 걸어 열었다.

　폴더 형의 터치 핸드폰이었다. 제법 비싼 기종이지만 손 안에 들어오는 감각이 좋아서 골랐던 물건이다. 번호를 알고 있는 사람이 달리 없는 비상 연락용이었다.

　영석은 전화를 건 사람의 이름을 보고 큰 고민 없이 받았다.

　터치 패널을 건드리는 손가락이 몇 번 움직인다.

　"…예."

　물을 마셔서, 간신히 갈라지지 않은 목소리가 나온다. 최근은 잠조차 제대로 자지 못한 날이 많았다. 과한 피로는 사람을 죽인다. 정신적인 스트레스가 극도에 달하면 정말 그렇게 되지 않을까 싶을 때가 많았다.

　영석은 생각해야 할 일들이 너무 여러가지라, 최근 괴로웠다. 그런 고단함을 간신히 한 겹 아래에 감춘 채 건네는 말이었다.

[여, 살아있네. 김 상무. 난 또, 연락이 안돼서 먼저 가신 줄 알았잖아.]
"……그게 XX 인삿말로 적당하다고 봅니까, 최 사장님?"

영석은 다소 날카로웠다. 원래 도움되지 않는 언행은 하는 법이 없는 편인 인간이었다. 다른 계열의 간부라면 날을 세워봤자 좋을 일도 없고, 더군다나 지금은 그가 손을 벌리는 입장이었으니 말이다.
그럼에도 불구하고 비령 금융, 최기욱의 말이 그의 신경 한 구석을 찔렀다. 빵빵하게 부풀어오른 풍선의 한 군데를 누르면 다른 곳이 튀어나오는 것처럼, 한계에 달했던 영석은 사납게 말을 뱉는다.

[하하, 아, 난 또. 혹시나 한 거지. 다행이야, 다행. 그래, 보기로 한 건 12시인데 준비 다 됐나? 준다고 한 게 바로 그렇게 처리 가능한 종류인지 모르겠어.]

능글맞게 말하는 최기욱이다. 어지간해서는 뒷말이 없는 놈이지만 최근의 대화 중에 느낀 바로는 속이 좀 구린 듯도 하다. 못보던 새에 죽을 고비라도 넘겼나, 사람이 바뀐 모양이다. 그런 이상함 때문에 영석은 더욱 더 속으로 위기감과 함께 스트레스를 느꼈다.
자연스레 말투는 날카롭다.

"…에, XX. 다 됐습니다. 내가 비령 물산 대가린데 그럼 뭐 누구 허락 받고 준비해가겠습니까? 있다가 약속한 때 장소에서 군말 없이 봅시다."

　꼭 욕을 넣어 뱉는 그의 말에 최기욱은 별 반응이 없었다.
[…….] 잠시간 뜸을 들이더니 그가 통화기 너머로 말했다.

　[다행이네. 우리 다른 수작은 벌이지 말자고. 어차피 그룹 내에
서 가장 쳐지는 게 자네랑 난데. 다른 놈들 좋은 일 시켜줄 것 없
지, 안 그런가. 나도 자네 믿으니까, 서로 그렇게 하자고.]
　"……누가 할 말씀을."

　영석이 퉁명스럽게 받았고, 곧이어 별 영양가 없는 헛소리 몇
마디와 함께 전화가 끊겼다. 영석은 마른 세수를 했다. 아주 살짝
열어둔 커튼 사이로 햇살이 비쳤다. 늦은 아침이었다. 준비하고, 서
류를 챙겨서 약속 장소에 가면 될 것 같았다.

　서류는 미리 다른 곳에 챙겨 두었다. 지하철 역의 공용 락커룸
이었다. 허술하고 멍청한 은폐 장소였지만, 다른 인간들이 생각하
지 못할 곳이라는 점에서 도리어 쓸만한 곳이었다. 1호선 역사 내
어느 곳에 어지간한 중견 기업에 비견되는 회사의 내부 자료가 통
째로 들어 있으리라고 생각하는 자가 많이 없을 것이다.

　동선은 늘 어지럽게 가진다. 일반적인 통행 시간보다 더 걸려서
목적지에 도달하고는 하는 것이다. 바보같은 짓일 수도 있겠지만,
적어도 언제나 미행이 따라 붙는다고 생각하고 움직이는 게 마음
이 편했다. 자가용도 잘 이용하지 않는다. 차에다 무슨 짓거리를
해둘 지 모르고.

　완벽하게 믿을 수 있는 심복과 함께 장갑차 수준의 방비를 해둘

28

수 있는 의전 차량이 준비되어 있다면 모르겠는데, 불행히도 그런 차량은 조직의 보스조차 탈 수 없었다. 선대 회장이 죽고 2대 째의 회장은 다른 계열사의 사장들과 나이대가 비슷했고, 발언권도 그다지 세지 않았다.

조직의 암투가 시작되는 계기가 되기도 한 일이었다. 선대가 지병으로 맥없이 급사를 하고, 그 아래의 대가 약한 아들이 덜컥 회장직에 앉게 된 사연도 말이다.

그룹 계열사의 사장들은 곧이어 으르렁대기 시작했고, 각기 자신의 몫을 전체 지분에서 더 챙기기 위해 애를 썼다.

일반적인 회사와 그룹이라면 말이 되지 않는 일이었지만, 그가 몸담은 비령 그룹은 이름만 그럴싸하지 결국 범죄 조직의 다른 말이었다. 무력적인 정쟁과 암살, 암투 따위로 자신의 지위가 얼마든지 변동될 수 있는 곳 말이다.

지금 비령 그룹을 제외하면 이 정도로 단일화가 되어 거대한 조직을 이룬 범죄 조직이 달리 없었다. 비령은 지금 너무 몸뚱이가 커졌기에, 경찰 조직 쪽에서도 섣불리 손을 대지 못하는 수준에 와 있었다.

한 번에 통으로 먹으려는 시도를 할 법도 한데, 아직까지는 그의 정보망에 들어온 시도들이 달리 없다. 영화에서처럼, 밑바닥부터 이 그룹이 성장하기 시작했을 즈음에 조직원 하나를 위장 투입해서 속에서 치려는 경찰이 있을 지도 모를 일이다.

그 정도는 몰라도, 실제 신원이 그리 확실치 않은 최근에 들어온 놈들 중에서는 분명 형사 류의 인간들이 있을 것이다.

차라리 그들이 더 믿을만 하다는 점이 우스웠다. 범죄 조직의 적은 범죄 조직이었다. 경찰 조직은 두 팔 들고 백기를 들면 아마 굳이 목숨을 취하지는 않을 테였으니까. 돈에 대한 욕망으로 움직이는 놈들은 상대가 어떤 꼴을 하고 있든 아마 믿지 못하고 기어코 목줄을 끊을 것이었다.

당장 영석의 계열사 조직원들 중에서도 의심가는 놈들은 몇 있었다. 심성이 깔끔해 보이는 새끼들이라 놔두고는 있었다. 말했듯 차라리 경찰 조직의 스파이라면 더 안전한 상황이었으니까.

개같다,

라는 말이 저도 모르게 튀어 나오는 상황이다.

영석은 대충 샤워를 하고 씻고, 깔끔하며 그리 튀지 않는 정장으로 갈아입고 신문지와 가방 하나를 챙겨 밖으로 나섰다.
그의 인상은 평범한 편이다. 일부러 티내지 않는다면, 지나치는 그를 알아볼 자들이 그리 많지 않다. 조직 내에서 자주 보던 익숙한 놈들도 그가 슬쩍 다가갔을 때 나중에야 그를 알아보는 때가 많았다.

영석의 인상에 관한 건 악명이 높아서, 아랫 놈들 중에는 그를 알아보지 못해서 바로 윗선에게 갈굼을 당하는 일이 빈번하다고도 한다. 안타까운 일이지만 그 놈들을 위해서 일부러 티를 내며 다닐 수도 없는 노릇이었다.

영석은 나가기 전, 현관 근처에 걸린 거울에 시선을 멈추었다.

회색 정장. 흰 와이셔츠. 넥타이는 어두운 갈색에 대각선 줄무늬가 검게 그어져 있다.

자신의 표정을 살핀다.

무감정한 낯을 하고 있는 사내 하나가 거울 속에서 스스로를 응시한다. 짧고 단정하게 자른 검은 머리칼. 약간의 젤을 발라 스타일을 잡았다. 어느새 슬쩍 주름 진 얼굴이다. 체력은 반감기라고 봐도 좋았다. 호흡 역시 여전하고, 순발력도 남아 있었지만 장기적인 운동이 되면 스테미나가 달릴 때가 많다.

여차하면 낼 수 있는 전력이 조금 적다는 건 안타까운 일이었다. 숨이 딸려 죽는 일은 없어야 하는데.

그래도 깔끔하게 차려 입은 꼴을 잠시 살피다가, 그가 맨션의 문을 열고 나섰다. 그가 나가면서 자동화된 실내등 시스템이 불을 껐다. 철컥.

그가 묵직한 문을 닫았다.

*

"아, 그러니까 먼저 확증을 줘야 우리도 일을 할 거 아냐."

최기욱은 덩치가 큰 사내였다. 건장한 체격. 두터운 하관. 목 역시 제법 두께감이 있어 적당히 쳐서는 부러질 것 같지도 않다.
최악의 경우에, 그와 드잡이질을 한다고 하면 승산이 얼마나 있을까. 목진형과 김영석은 그래도 알아주는 공격조였다. 맨손이 아니라 도구를 쓸 수 있다고 한다면 질 자신까진 없었다.

"……거 말은 다 했지 않습니까. 물산이랑 금융이랑 합친다고. 자리는 그쪽이 드시고, 지분만 넉넉히 주십시오. 적어도 이쪽이 소리를 낼 만큼은 챙겨 줘야 의미가 있는 합병 아닙니까."

"아, 의미. 의미 좋지."

짧게 깎은 머리. 회사원으로 보이는 인상은 아니었다. 실제로 그가 하는 일도 그런 게 아니었고. 이름은 비령 금융이라고는 하지만 온갖 종류의 사채를 운용하고 있는 회사이다. 조직원들이 맡은 일들도 비참한 인생들 근처를 떠돌다가 그들을 더 구렁텅이로 빠트리고는 하는 그런 것이었고.

그럼에도, 조직의 색깔이나 분위기를 말하자면 물산을 제외하고 그나마 가장 온건한 쪽에 속했다. 더러운 놈들끼리 그냥 일하고, 어지간해서 피해 주지 말자, 는 입장이었으니.

최기욱은 그래도 사내다운 면이 있는 인간이라고 생각했다.

지금의 저 능글거리는 표정을 보면 그것도 맞는 평가였는지 의문이 가긴 했으나.

"그래도 상황은 잘 봐야 하는 거 아닌가? 우리… 김 상무님께서 그렇게 머리 좋으신데 말야."

그가 뜸들인다.

그는 어느 사무실에 앉아 있었다. 번듯한 건물이었다. 물산 계열의 건물도 아니고, 금융 계열의 건물도 아니다. 그냥 개인적으로 영석이 알고 있는 어느 부동산 업자를 통해서 비어 있는 상가 건물의 공실을 얼마 주고 이따금씩 가끔 이용하는 것이다.

건물의 주인이 그 대여비를 받는지, 혹은 얼마를 받는지 따위는 모른다. 업자가 전부 먹는다고 해도 나쁘지는 않다. 깨나 많은 돈이었고, 어쨌건 영석은 안전하고 비밀스런 장소를 제공 받으면 될 뿐이다. 당장 사는 게 중요하다.

그의 곁에도 몇 명인가가 있다. 영석의 뒤 편으로 선 자가 물산 쪽 사원들, 곧 비령 그룹의 조직원들이었다. 젊고 또렷한 눈빛을 가진 놈들이었고, 그나마 최근 가장 그를 많이 보필한 녀석들이었다. 위기 시에 그래도 아주 도움이 안 되지는 않으리라. 최악의 경우를 위해 총기마저 품에 넣어두었다. 피를 흘린다면 우리의 것만 보지 않을 정도는 된다, 영석을 포함해 세 장정의 전력과 각오가.

그런 각오를 아는지 기욱과 그의 뒤켠에 선 자들도 그다지 위협적이지는 않다. 조직 내에서의 대화라는 건 늘 이런 법이다. 언제나 이빨이나 칼을 들이밀고 있어야, 신사적인 대화가 되곤 한다.
신뢰라는 게 부재한 세상에서의 일상이었다.

"······."

김 상무, 영석은 표정을 슬쩍 찌푸렸다. 기욱이 창가 쪽에 앉았다. 그가 사무실의 문과 연결된 곳 쪽 소파에 앉아 있고. 단출한 일인용 소파가 두 개 놓여 있고, 그 사이에 티 따위를 놓는 유리 테이블이 있었다. 검은 재떨이와 서류 봉투 몇 개가 늘어져 있다.

최기욱의 뒤편으로는 집무용의 데스크와 의자가 있었고, 그 뒤로 큰 유리창이 있다. 커텐은 쳐져 있었다. 희미한 햇빛이 바깥에서 들어온다.

상가 건물의 복도로 바로 이어지는 문이었다. 영석이 앉은 자리는. 기욱의 뒤쪽으로 건장한 놈들이 네 명 자리를 차지하고 있다. 두 놈은 창가 근처에 있고, 두 놈은 기욱의 앉은 의자 뒤편에 바로 서 있다. 인상이 험상궂고 체격이 큰 놈들이나. 덩치가 있는 놈들. 살집이 있지만 기세를 보면 그리 느려 보이지도 않는다.

기욱과 영성의 의견은 완전히 다른 것은 아니었다. 단순히 순서의 문제였고. 물산과 금융 두 계열사를 하나로 합친다. 자연스럽게 지분을 갖고 있던 임원진들의 역할 역시 재분배가 된다. 현재 물산 쪽에 남은 임원들은 영석을 포함해 서넛 정도가 끝이었다. 원래는 더 있지만 중병으로 병실에 입원해 있었고, 언제 눈을 뜨고 자리에서 일어날 지 모르는 꼴이었다.

금융 쪽은 열댓명 정도 있다. 기욱이 개중에서 가장 높은 위치였고.

그러나 물산이 금융보다 회사 규모가 더 크다는 데 문제가 있었다. 결국 회사 내 유보금이니, 자본금이니, 매출이니 하는 것들이 더 컸고 조직원들의 수도 보다 많았다.

물산은 영석과 진형, 비령 그룹 내에서도 이름 난 두 인간이 키워 온 계열사였고, 큰 위험 없이 여태까지 그 덩치를 불려왔다. 지금까지는 말이다.

일정 수준 이상부터 영석은 회사의 규모가 커지면서 용인해야 할 더러운 짓거리들 때문에 탐탁찮아 했지만, 지금에 와서는 그래도 주변으로부터의 보호막이 되어주고 있었다. 이런 점 때문에 진형이 별다른 소리를 내지 않고 조직에서 자리 잡고 있었던 건지도 모른다.

34

어쨌든, 임원진들의 세는 약하고 진형이 죽은 이상, 영석이 혼자 이끌어가기도 부담스러운 것이 사실이다. 임원진들은 곧 조직의 간부들이었고 말단 조직원들을 다루는 가장 강력한 카리스마다. 리더를 잃은 집단은 공중분해 되기 쉬웠다.

그래서 먼저 정적들이 진형을 비롯해서 임원들을 친 것이고.

세력은 남아 있지만 다른 계파 중 두 곳만 손을 잡더라도 그 습격을 당해내기가 어려웠다. 결국 작은 편이라지만 그래도 속내가 투명한 쪽인 기욱과 말을 해서 합치는 것이 가장 쉬운 생존법이다.

지분을 합친 뒤 다시 분배하는 과정에서 영석은 자기 계파의 임원들에게 확약을 주기를 원했다. 상무이사 자리라거나, 적어도 대등한 입장에서 의견 공유가 가능한 정도의 지분이 있어야 동맹이 원활하게 움직일 것이다.

기욱은 여러가지 상황을 판단해서, 자신의 목숨 또한 사실 영석과 그리 다르지는 않을텐데 본인이 조금 더 안정적인 위치라고 생각하는지 뻗대고 있는 중이었고 말이다.

"……결국 결론은 나와 있다는 걸 알지 않습니까."

먼저 누그러진 톤으로 말을 한 것은 영석이었다. 답 없는 기세 싸움을 계속해봐야 늘어나는 건 스트레스와, 시간낭비 뿐이다. 영석은 그런 것을 좋아하지 않았다. 합치기로 했다면 빨리 합치자, 는 말이다. 당신들이 원하는 것들은 좋을 대로 들어줄 테니까.

"…결론? 아, 합병. 그렇지. ……."

기욱은 슬쩍, 눈알을 굴린다. 데굴 굴리면서 입을 여는 톤이 마뚝찮다. 영석의 입장에서 말이다. 언제나 사내다운 투로 자신의 행색을 가꾸던 인간이었다.

각 계파의 세력도와 상관 없이 할 말은 하던 작자였고, 그래도 조직원들 중에서 일부러 사회악을 자처하지 않는 놈이라고 봤기에 손을 잡으려던 것이었다.

지금 그가 보여주는 뚱한 꼴은 평소에 그가 알던 기욱의 모습과는 약간 달랐다.

그것은 약간의 의심이 되었다. 곧 불안이 되었고. 영석은 인상을 조금 더 구겼다.

"……뭐, 다른 수라도 있습니까?"

"……. 내가 뭐 다른 수가 있겠나. 영석 씨께서 비령의 장자방 아니야. 그대가 그렇게 결론 내렸다면 그런 것이겠지."

빙빙 쓸 데 없는 말로 대화를 돌리는 폼이 영석의 불안감을 고조시켰다.

"……."

영석은 자기 품 안에 들어 있는 리볼버를 떠올렸다.

……여기가 그리 인적이 많은 곳은 아니었다. 상가 건물은 공실이 많았고, 지금 이 시간에 건물에 들어와 있는 이들이 얼마나 될까도 또 모를 일이다. 더군다나 건물 내측 깊은 곳에 위치한 사무실에, 방음 처리도 약간이나마 해두어서 다소 소음이 나더라도 주변에 크게 들리지는 않을 가능성이 있었다.

한 발 정도는, 그래 한 발 쯤은 혹시나 하는 생각에 주변에 듣는 이가 있더라도 지나칠 지 모른다.

그 외에 칼이나 삼단봉 따위를 뒤에 두 녀석이 여러 개 챙겨왔다. 개중 하나를 들면 덩치 중 둘 정도는 확실하게 처리할 자신은 있었다. 최선의 경우는 그럴 일을 애초에 만들지 않는 것이기는 했다만. 그게 마음처럼 되지만은 않는 것이 늘 인생이었다.

끼익.

그렇게 복잡한 생각으로 머릿속의 상상을 진행시키고 있을 무렵이었다. 영석은 기욱의 표정을 유심히 살폈다. 그가 슬쩍 웃는 것도 같았다, 고 느낀 순간 뒤에 있는 문이 열렸다.

"뭐."

뭐야, 라고 말하며 영석이 뒤를 돌아보려 했다. 한 순간 늦은 것은, 기욱의 눈빛을 살피는 것을 멈추지 못해서였다. 무슨 수작인지 알 수 없는 표정이다. 그가 알기로 기욱은 복잡한 심계를 꾸미는 작자가 아니었다.

그에게 미리 접촉한 다른 자가 있다면 혹시 모른다. 다른 자라,

생각 나는 이름이 몇 개 있었다.

"미안하게 됐네."

기욱이 말했다. 영석이 뒤를 봤고, 들어오고 있는 검은 정장의

사내들이 여럿이었다. 문 뒤로 미어지게 제 몸뚱이들로 장벽을 치고서, 밀리듯 들어오는 자들이다. 하나같이 낯선 놈들이었고, 지금 상황에서 그 말은 결국 다른 계파의 조직원들이라는 뜻밖에 되지 않는다.

"이런 씹!"
"야이 개새끼들아!"

뒤에 있던 두 놈, 민수와 철식이 쌍욕을 내뱉으면서 거칠게 움직였다. 민수의 품에는 영석처럼 총이 한 정 있었다. 영석은 순간 머리를 굴렸다. 결국 최기욱의 목숨을 인질 삼으면 벗어날 수 있을까?

저 놈들이 최기욱의 조직원들이라면 혹시 모른다. 그는 벌떡 일어나 철식의 곁으로 다가가 그의 허벅지 춤에 있을 곳으로 손을 넣어 재킷 아래서 회칼을 하나 뽑아 들었다.

스릉, 하고 뽑혔고 마침 그와 함께 철식 역시 회칼과 삼단봉을 꺼내 들었다. 민수는 총을 택한 모양이었다. 철컥, 하고 쇳덩이가 움직이면서 발사 준비를 마치는 소리가 들렸다.

"야이 XX! 잡아!"

사내들은 아주 지독하게 훈련된 놈들처럼 움직였다. 회칼과 삼단봉, 심지어 권총까지 든 셋을 상대로 별다른 기합도 없이 덮쳐 들어왔다. 그 인파에 밀리면서 쑤욱, 하고 철식은 몇 번인가 칼로 누군가의 몸뚱이를 찔렀다.

쇠봉을 짧게 휘두르며 누구의 대가리를 밀고 치려 했지만 녹록치 않았다. 한 둘 정도가 힘없이 쓰러졌고, 민수와 철식이 가진 역량만큼 수월하게 상대했지만 그 뒤로 계속 밀고 들어오는 인간들은 좁은 사무실을 가득 채우고도 남을 정도의 인파였다.

"이런 쌍!"

영석이 외쳤다. 그가 어쩔 수 없이 회칼을 들고 기욱에게 달려들었다. 유리 테이블을 밟고 그대로 점프해 날아가려 했다. 아쉽게도 옆에 섰던 놈들이 덩치에 걸맞지 않게 재빨랐다.

캉, 하고 거칠게 연약한 탁자를 밟았고, 그 신발 밑창에 재떨이가 밀리고 서류 봉투들이 짓밟혀 구겨졌다. 영석은 기욱의 왼쪽 편에 있던 덩치의 목덜미를 칼날로 그었다. 미안한 일이었지만, 어쩔 수 없었다.

그륵거리는 소리와 함께 한 명이 무너졌다. 오른 편에 있던 덩치가 같이 덤볐고, 영석은 그 놈의 면상을 회칼을 든 팔의 팔꿈치로 가격하고는 그대로 밀고 들어가 테이블 위에서 점프하며 무릎으로 한 번 더 찍었다. 거구가 쿠당탕! 하고 집무실 뒤쪽으로 쓰러졌다. 그 전에 이미 움직이고 있던 창가의 덩치 둘이 날았다. "으아아!" 놈들은 미련하게 소리를 질렀고, 놈들의 덩치에 밀려 영석이 뒤로 넘어지려 했다. 회칼을 휘두를 각도가 나오지 않았다. 총은 아직 꺼내들지도 못했다.

미련한 짓거리였다, 다.

영석은 그대로 다른 놈의 몸통에 깔려 팔을 움직이지도 못했고, 그대로 뒤로 넘어갔다.

쿠당탕!

집무실의 집기나 책장에 꽂혀 있던 책 따위가 널브러졌다. 요란스러운 가운데, 사무실 문쪽에서 들어오는 다른 조직원들은 지독한 눈빛으로 침묵을 지키면서 영석과 그 부하들을 밀어댔다.

철식이 먼저 넘어졌고,

"야이 씹. 저 새끼 빨리 꽂아!"

콱!

이런저런 소리가 들리는 와중에 영석의 목덜미에 뭐가 꽂혔다. 한 놈이 다가와서 주삿바늘을 그의 동맥에 꽂아 넣었다. 약물이 들어 있던 것이었고, 영석은 곧바로 눈 앞이 흐려지며 청각 역시 사라지는 것을 느꼈다.

아득한 정신 너머로,

탕!

하는 거친 총성 한 발만이 메아리처럼 울려 들렸다.

***

2. 오발

끼익.

하고 어둔 실내의 문이 열렸다.

육중한 문은 몇 겹의 잠금장치가 설정되어 있어 열리기까지 시간이 조금 걸린다. 애초에 그 문에 도달하기까지 여러 개의 ID카드가 필요하기도 했다.

'조직'은 여러가지 사업에 손을 대고 있었다. 한국에서 가장 거대한 단일화 조직, 비령 그룹 말이다.

고작해야 남의 등쳐먹고 더러운 짓거리나 하던 범죄 조직이었지만, 지나치게 덩치가 비대해졌다. 그들이 상대하는 고객들 중에는 유력자들도 몇인가 있었고, 또 그들을 통해 만나게 된 어느 거대한 사업체들 중에는 범죄 조직과도 고리가 닿길 원하는 양심 없는 자들도 있었다.

그런 이들 중, 제약 계열의 회사 또한 있었다.

비령 제약이라는 이름으로 최근 이름을 바꾼 그룹의 한 계열사는 외국 계열의 어느 제약사와 내통하며 그들의 약을 한국에서 팔아주고, 또 관련한 일을 도맡아 하는 회사였다. 독자적인 기술력은 없었고, 외국계의 한 제약사와 한국계의 어느 정치인이 뒷배로 있는 회사와 협약을 맺어 다양한 실험을 하기도 하는 집단이 되었다.

41

제약사라는 이름답게 그럴싸한 설비나 약품류, 화학물들이 고층 빌딩 안에 빼곡히 들어찼고, 구실을 갖춘 회사 내부에는 회사의 비밀을 아는 연구원이나, 혹은 모르는 자들이 들어와 여러가지 업무와 연구를 진행했다.

그런 비령 제약의 한 지하 공간, 어느 내밀한 약품 보관함의 둔중한 문이 열리는 소리였다. 끼익, 하고 운 것은.

철문이 열리며 들어온 몇 명의 사내가 있다. 들어오지 않은 자들은 바깥에서 기다린다. 문 안으로 발을 들인 두 사내는 어깨에 도수 운반법으로 걸쳐 매고 있던 인형 하나를 거칠게 내던졌다.

쿵!

하고 사람의 신형이 연구실의 밑바닥에 그대로 던져졌다.

던져진 인형人形은 실제 사람의 것이었고, 그는 살아있었는데- 의식은 없는 듯 조금의 미동도 없이 차가운 실험실 바닥에 몸을 부딪히며 바닥을 굴렀다.

다행히 그대로 후두부에 충격을 받아 목숨을 잃지는 않은 듯, 가느다란 숨을 쉬고는 있었다.

김영석이었다.

*

영석은 느리게 눈을 떴다.

처음 그가 느끼는 것은 지독한 고통이었다.

'끄으으으…'

성대로 새어나오지 못하는 고통이 그의 온 몸을 덮고 있었다. 열이 오르는 듯도 했지만 땀이 나지는 않았다. 그는 생전 처음 느껴보는 기이한 감각에 몸을 떨며 바닥에서 뒤척거렸다.

아무도 오지 않고, 또 불조차 없는 어둠 속. 그는 비척거리면서 신음을 냈고 한참동안 바닥을 구른다.

얼마나 시간이 지났는지도 모를 정도가 되었을 때, 그는 정신을 잃었다가 차렸다가를 반복하다 다시금 눈을 떴다.

고통이 조금인가 사라지고 그래도 정상적인 사고를 돌릴 정도의 의식이 있었다.

그는 어둔 가운데 찢겨진 양복을 입은 채였다. 품에 든 것은 별다른 물건이 없었다. 그는 얼얼한 몸뚱이를 간신히 가누면서 바닥을 짚는다.

손으로 짚은 바닥은 차가운 감촉이었다. 그가 있는 곳은 춥다. 약간은 건조하고.

목이 타들어가는 것처럼 갈증을 느꼈다. 어둡다. 눈을 떴지만 제대로 보이는 게 없다. 오래도록 어둠 속에 있어서 암순응을 했을지 모르지만 그래도 시야가 희미했다. 제대로 눈을 뜨고 있던 시간이 별로 없었다.

그런 그를 인도하는 불빛이 있었다. 그는 바닥을 기고 있었고, 그 바닥 근처에서 희미하게 나는 푸른 불빛이 있다.

환상을 보는 것은 아니었다. 실재하는 불빛이다.

연구실, 의약품실로 쓰이고 있는 지하의 한 공간은 바닥 즈음에 희미한 비상등이 켜져 있다. 시야를 확보하기에는 부족하지만, 그래도 자신의 시선을 똑같은 높이에 둔다면 무언가 볼 수는 있었다.

연구실의 바닥 재질이나 타일 모양이 어떻게 생겨 먹었는지 알수 있었다. 그 비상등 근처의 작은 반경에서 말이다.

영석은 천천히 기어서, 불빛이 더 많은 쪽으로 자리를 옮겼다.

제대로 말을 듣지 않는 몸은 간신히 누워서 움직이는 것이 최선이었다.

"끄으."

간헐적인 신음같은 게 그의 입에서 튀어나왔다. 희미한 소리였고, 다 죽어가는 인간의 그것마냥 가느다란 음색이다. 숨소리에 음성이 조금씩 섞여 나온다고 하는 게 정확하리라.

지이익, 하고 양복 차림의 몸뚱이를 팔로 천천히 끌어 연구실의 바닥, 벽면 근처까지 이동한다. 자신의 눈을 퍼렇게 물들이는 비상등을 바라보면서, 다시 영석은 정신을 잃었다.

*

"……예 알겠습니다."

"……이래도 되는 거야?"
"씨발, 이게 뭐하는 짓거린지…….."

몇 명의 사람들이 말을 나누고 있었다. 그들은 고액의 연봉에 낚여서 비령 그룹의 제약사에 들어온 연구원들이었다.

비령 제약에 속해 있는 사원들은 여러 방법으로 나눌 수 있겠지만, 가장 특징적인 구분법을 설명하자면 비령 그룹에 대해서 잘 알고 있는 사람과, 아닌 사람이었다.

그들은 속물같은 근성을 가진 부류였고, 별다른 조건에 대한 의구심 없이 높은 보상만을 바라보고 회사에 입사한 자들이다. 본디 연구원 즈음 되는 직책이라면 제약사에서 하게 될 연구에 관한 이야기라던가, 사회 속에서 그들이 취해야 할 다양한 처신들에 대해서라던가, 뭐 여러가지 말들을 듣고 들어오는 게 일반적이었다.

별다른 역사는 없는 비령 그룹 소속의 제약사는, 갑작스럽게 규모가 커진 신생 회사였다. 제약사에 자본을 투입한 여러 투자자들 중 그래도 이름을 들어본 외국 계열 제약사와, 한국의 어느 중견기업에 대한 신뢰감으로 들어온 그들이었다.

일반적인 연구원 직의 계약서 내용보다 훨씬 빈약한 계약서에, 다소 의문스런 조항들이 있었음에도 불구하고 그들은 기꺼이 사인을 했다. 그리고 그들은 회사 내부의 심상찮은 분위기 탓에 여러 번 놀라고, 진지하게 이직이나 퇴사에 대해 고민을 한 전력이 있었다.

그럼에도 불구하고 수당 따위를 두둑하게 챙겨주는 회사였고, 솔직히 그들이 업계의 다른 회사에 가서 받을 연봉의 두 배 이상을 보장하는 곳이었다.

그것만으로도 다소의 의구심은 덮어둘 수 있었고, 평온한 직장 생활을 영위할 근거가 되어주었다.

그래, 의도가 의심스러운 약물 연구를 한다던가, 심지어 그 치명적인 독성을 지닌 약물 실험에 사람을 임상 실험의 대상으로 쓴다던가, 뭐 그런 흉흉한 소문이 들려오더라도 대충 눈을 가리고 귀를 덮은 채 지내왔다.

지금까지는 어찌저찌 넘어갔다. 제약사 소속 연구소의 직책 상, 하급자이며 말단 실무진인 그들에게 윗선의 직접적인 명령이 떨어지기 전까지는 말이다.

일반적인 오더라면 딱히 꺼릴 일은 없었다. 이 회사의 정체나 그 목표성에 대한 의구심이 끊임없이 들더라도 당장 자신이 해야 할 일에 큰 문제가 없다면 그저 행하면 될 뿐이다.

그러나 스티브, 민준, 세정 세 명에게 주어진 명령은 누가 보아도 상식에서 벗어난 것이었다.

그저 기계적으로 연구 과제를 위한 실험을 반복하면, 그러기만 하면 일반적인 것의 두 배 이상의 연봉을 받는 나날들이다.

이번에는 눈을 감더라도 이질감이 사라질 수가 없었다.

회사 내 지하 연구 시설에 사람을 하나 가두어 뒀다. 그에게 연구 도상에 있던 독극물 종류의 화학물을 투여하라, 는 말이었으니 말이다.

사실 셋 모두 어느 순간부터 대강 알고는 있었다. 이 제약사가 제대로 된 곳은 아니라는 사실 말이다. 회사라는 하나의 집단이 성립하고, 유지되기 위해서는 뚜렷한 목표가 있어야 했다. 이익집단이니 당연히 매출을 중간 목표로 하는 목적이어야 할 테였고.

이렇다 할 주력 사업을 가지고 개발하는 것도 아니었고, 여타 다른 민간의 단체들과 교류를 하는 것도 아니었다. 그저 투자금을 많이 주고 모체가 되는 대형 제약사의 하청만을 받고, 용도 모를 약물들을 이따금씩 어딘가로 판매할 뿐이다.

연구를 직접 하고 있는 이들도 최종적으로 무엇을 만드는 지 프로젝트의 방향성을 몰랐고, 심지어 최종 결과물이 어디에 쓰이는 지도 모른다.

이 따위 곳이 제대로 된 연구 시설이라고 할 수는 없었다. 어떤 과학자도 자신이 무얼 만드는 지 모르는 채 발명을 할 수는 없다. 그래서도 안되었고.

회사에서 일하는 내내 과학자로서의 양심이라는 게 마음 속에 있다면, 그 테두리가 갉혀 나가는 듯한 생활을 해왔다.

비령 제약이 속해 있는 비령 그룹은 아무래도 불법적인 일에 대놓고 손을 대는 범죄 조직과 연이 깊거나, 혹은 그 자체인 듯 했고. 연구 시설이니 제약사 본사 건물이니 여기저기를 주름잡고 돌아 다니는, 제약 회사와는 전혀 연이 없는 듯한 사내들도 지나치게 자주 있는 일이었다.

그러던 와중 오늘 들은 것은 더욱 놀라운 이야기다.

바깥에서 정신을 잃은 사내 하나를 덩치 좋은 양복 차림의 남자들이 가져다 났다더라, 하는 이야기.

아무리 의구심이 들고 문제를 제기하고 싶어도 고작해야 말단에 불과한 그들의 이야기는 그다지 힘이 없다.
어느 정도 사연의 총체를 안다고 생각되는 부장급 인사들은, 대개 비령 제약의 모체가 되는 회사나 그룹 내부에 연줄이 닿아 있는 자들 같았고.
자세한 사연을 넌지시 물어보더라도 이야기를 돌리거나, 혹은 쓸데 없는 이야기는 관심 두지 말라는 듯 냉엄한 눈치로 위협을 할 뿐이었고.

"후……."
"난 못 해."
"그러면, 뭐 여기서 나가자고? 당장 이 회사를 뭐 우리가 어떻게 할 수 있을 줄 알아?"

차례대로 스티브, 민준, 세정의 이야기였다.

가장 소스라치게 반응하는 것은 세정이었다. 그녀는 자신의 안위가 가장 중요하다. 조금 더 깊게 파고들어가 보면, 자신의 안정적이고 부유한 삶이었다. 그것이 정의롭게 이루어진 삶이냐, 아니냐는 그렇게 중요한 편이 아니었다.

민준, 은 어지간한 비리에 대해서는 크게 반응하지 않았지만, 자신의 손으로 무언가 해야 하는 때가 오자 망설였다. 그는 스스로 정의로운 인간이라고 여기지는 않았다. 그러나 정신나간 짓거리를 제 정신으로 하고 싶지도 않았다. 그 따위 짓을 하며 살다가는, 언젠가는 세상의 공정한 심판 따위가 있어 뒤통수에 총알이 날아올지도 모른다고 믿었다.

순수하고 바보같은, 어린아이같은 생각이라고 하기에는 깨나 구체적이며 경험에 의거한 생각이었다. 한 번 타인의 목숨을 쉽게 빼앗거나, 불의한 일에 발을 담근 자들이 말로가 어떻게 되었는지 그는 여러 번 보았다. 직접적으로든, 간접적으로든.

누군가를 죽일 때는 자신 역시 죽을 각오를 할 때 뿐이었다. 민준은 이토록 쉽게 자신의 목숨을 버리고 싶지는 않았다. 돈을 쫓아 의문스러운 회사에 들어오기는 했지만, 다소의 배상금을 내고서라도 이곳에서 나가고 싶었다.

평상시에도 그런 마음이었지만, 지금은 그런 퇴사 욕구가 강렬하게 높아졌다.

스티브, 는 그들 중에 체격이 가장 큰 백인이었다. 붉은 기가 도는 갈색 머리에 콧대가 높고, 푸른 눈을 가졌다. 나름대로 훤칠한 인상을 한 청년이었다. 34세. 국제적 나이로 그러했고, 걔들 중에서 군이 나이로 상하를 따지자면 막내였다. 민준과 세정은 그보다 한 살이 많고.

스티브는 타인에게 그다지 관심이 없었다. 어찌 되든, 자신에게 피해만 오지 않는다면 주변 환경 정도는 깔끔하게 무시할 수 있었다. 물론 그런 삶의 태도가 늘 자신의 안전을 보장해주지는 않는다.

때로 자신이 눈돌린 환경이 스스로에게 위험으로 다가올 수도 있었으니까. 스티브도 그 정도의 감은 있기에 한숨을 쉬는 것이었다.

그들은 비령 제약의 본사 건물 지하, 연구동이 있는 1층에 있었다. 지하 1층부터 4층까지는 연구동이었다. 건물은 지하 6층까지 있었는데, 5-6층은 간부나 혹은 부장급 이상만이 출입할 수 있었다. 셋은 무엇도 아니었고 ID카드도 없었으며 특별한 지시도 없었기에 여태 한 번도 들어가 본 바가 없다.

제약사나 뭐 그런 기밀이 중요한 시설과 회사에서 보안 시설은 있게 마련이었지만 뒤가 구려 보이는 비령 그룹 계열의 회사라고 한다면, 그 기밀이 지독한 것이지 않을까 하는 짐작 정도는 가능했다.

스티브는 자신의 높은 콧대 옆으로 움푹 들어간 안와를 매만졌다. 마른 세수를 하듯 손바닥으로 곧 쓸어내린다. 피곤했다. 최근 계속된 연구 과제로 잠이 부족했던 것도 사실이다. 물론 육체적인 피로만이 문제는 아니었고, 근래 벌어진 시끄러운 일들이나, 특히 지금 상부에서 내려온 지시 탓에 얻은 정신적 스트레스가 더한 이유였다.

스티브는 회사 내선을 이용한 통화용 수화기를 달칵, 하고 내려놓았다. 그들이 머무르는 연구동의 한 방 구석에 있는 전화기였다. 데스크 모서리에 고정되어 있는 흰 색의 통화기는 간단한 다이얼로 연구실 내부와 본사 위 쪽 사무자들과도 연결이 가능하다.
연구실 쪽에서 통화를 돌릴 때는 특수한 회선을 이용하면서 도청 따위를 방지한다.

연구동 내부, 보다 더 깊은 지하에 개인 집무실을 갖고 있는 그들의 부장에게서 전해져 온 지시였다.

말했듯 내용은 별 것 없었다. 그들이 연구했고, 보관중이던 Fa-1123이라는 약물을 주사기에 옮겨 1027 의약품실에 있는 남자에게 투여하라는 말이다.

Fa-1123을 투여하라, 는 말은 단순한 지시 문장으로 끝날 내용은 결코 아니었다. 직접 연구를 했기에 알고 있었다. 임상 실험을 한 적은 없었지만 대강의 효과는 뻔하게 알 수 있다.

아마 지독한 고열과 함께 신체 내부에 바이러스가 퍼지고, 또 면역 체계가 무너질 것이다. 그리고 목이 타들어가는 듯한 갈증과 가려움, 곧이어 피부 전체에서 격통을 느끼다가 1시간 여 내에 죽는다.

사람에게 투여된 적은 없었지만 약물 반응의 검사 대상이 되었던 모든 고등 포유류 동물들이 동일한 반응을 보였다. 사람도 대동소이할 것이다.

물론 악영향만 있는 약물은 아니었다. 대놓고 독극물을 만들고자 했다면 더 지독한 것을 만들었겠지. '바이러스'라고 되어 있지만 전염성은 전무했다. 투여된 이후 짧은 시간 동안 숙주의 신체 내부에서만 살아서 활동하다가 한 시간 내로 사멸하고 마는 생물들이었다. 그 외에 바깥으로 나와서 생존이 불가능했고, 외부 공기와 닿는 순간 죽는다.

다만 신체 내부의 특정 효소와 결합해 일시적으로 특이한 능력을 대상에게 부여한다. 연구 결과에 따르면 특정되는, 또 예상되는 특이성은 다음과 같다.

동물의 순간적인 근력 증가, 감각 기관의 초인적인 활성화, 그리고 대뇌 피질의 활성화와 기능 증강을 통한 정보 처리 능력의 향상과 약간의 기시감.

초인超人물약, 이라고 해도 좋았다. 의도 자체는 나쁘지 않았다. 어느 수퍼 히어로 무비에 나올법한 설명들이었고, 그런 약물이 아무런 부작용 없이 개발된다면 무수한 사람들의 기능이 증가하고 또 사람이 해낼 수 있는 일들의 영역이 넓혀지리라.

물론 아직까지 기술력은 그런 약물의 상용화 단계에 전혀 미치지 못했다. 발상은 괜찮았으나 비참한 실패작에 불과했고, 아직까지 갈 길이 멀었으며 스티브의 감각에서 볼 때 그 약물의 연구 단계는 아직 걸음마 수준이었다.

먼 길을 나서야 하는, 거대한 광야와 사막을 건너야 하는 여행자가 물도 옷도 없이, 어린아이의 몸으로 그 출발점 근처 언저리를 헤매고 있는 정도였다.
그런 약물을 제대로 된 '약'이라고 할 수는 없었다. 그저 어떤 발상으로 인해 실험중인 화학물에 불과하다. 사람에게 쓴다면 단순한 독극물이었고.

"으으으."

스티브는 앙다문 잇새에서 신음처럼 비명을 토해냈다. 그다지 크지는 않았다. 이 187cm의 건장한 백인은 이따금씩 그런 소리를 내면서 스트레스를 해소하려고 든다.

익숙한 모습이었다. 민준 역시 안색이 좋지는 않다. 세정이라고 좋은 것은 아니다. 단지 행동에 망설임이 없을 뿐.

"그냥, 하고 넘어가. 말했잖아. 뭐 어떻게 할 거냐고. 이제 와서 비령 그룹이 이상한 곳이라고 당장 나가서 어디 고발이라도 하게? 그도 아니면 여길 들쑤셔서 부장님 비롯해서 간부진들이랑 몸싸움이라도 하거나?
퇴사할 거 아니면 그냥 입다물고 하고, 잊자."

세정이 긴 말을 토해냈다. 민준은 그럴수록 안색이 까맣다. 신경성 위염이 도지는 것도 같았다.

한참을 실랑이하듯 애쓰던 그들은, 이내 귀신같은 표정으로 늘 그들을 다그치는 부장의 연락이 다시 오기 전에 움직였다.

*

벌컥,

하고 문이 열렸다.

몇 개의 까다로운 잠금 절차를 충족시키고 나서 둔중하게 밀려 열리는 철문이었다. 의약품실을 비롯해서 조금 중요하다 싶은 연구 동의 룸들은 대개 이런 식이었다.

1027 의약품실. 이미 연구소에서 퇴근할 자들은 나갔고, 야근을 하거나 당직을 선다거나 하는 인간들만 남아 있는 시간이었다.

인적 없는 연구동 구석 어느 방 안. 작은 실내의 의약품실 내부에 기척을 내며 들어온 것은 한 명의 남자와 여자였다.

스티브는 영 표정이 좋지 않았다. 그 또한 이게 무슨 짓거리인가, 싶은 것이다. 한국말과 영어 모두가 능통하며 그 외에도 몇 개 국어를 자유롭게 할 수 있는 재원인 그는 머릿속으로 끊임없이 생각했다.

이게 맞을까?

아니, NO, 절대.

그따위 결론들만이 반복해서 내려졌다. 그런 스티브의 속내를 아는지 모르는지, 세정은 눈깔이 약간 맛이 간 표정으로 움직인다. 뭔가 그녀를 움직이고 있는 걸까. 스티브는 알지 못했다. 그러나 그녀를 적극적으로 막지도 않았고, 못했다.

그 역시 이 빌어먹을 조직을 어떻게 한다거나 할 수는 없었다. 그저 순응하거나, 낙오되거나 할 뿐.

지금같은 상황이 한 번만 더 반복된다면 아무 거리낌 없이 그냥 낙오되고 퇴사하는 쪽을 선택할 수 있을 것 같기는 했다.

미쳐도 적당히 미쳐야지.

복도, 의약품실의 바깥에서 들어오는 백색광이 작고 추우며 초라한 실내를 비추었다. 깔끔하게 정리된 연구동 내부의 실내였다. 그 안에 누가 보아도 이질적인 사내 하나가 엎어져 있었다.

얼굴은 잘 보이지 않는다. 아마 평범한 인상의 동양인 남성인 것 같았다. 엎드린 채, 고개를 조금 옆으로 가누고 비상등이 켜져 있는 실 내 벽면 근처에서 정신을 잃은 꼴이었다.

약간의 연민이나 복잡한 감정이 들기도 전에, 세정이 뚜벅거리며 움직였다.

이미 치사량에 버금가는 신경성 약물이 투여된 '영석'은 별다른 반응을 할 수 없었다. 잠깐이나마 정신을 차린 것이 그의 신체적 강인함, 혹은 정신적인 끈질김 덕택에 일어난 일이었으니 말이다.

비령 그룹을 자신이 일할만한 곳이라고 생각하고 있는 세정은, 조직의 명령에 따랐다. 그녀가 곱게 들고 온 주사기가 하나 있었다. 연구용으로 쓰이는 것이고, 튼튼한 철제 테두리를 가졌다. 투명한 실린더 내의 불투명한 액체가 찰랑거렸다.

Fa-1123.

스티브가 직접 연구에 참여했기에 실패작의 효과에 대해서 가장 잘 알고 있었다. 그는 어둔 방 내부, 정신을 잃은 남자에게 다가가는 여자를 보면서 눈을 가렸다.

'Oh shit……'

그는 속으로 욕지기를 뇌까렸고, 그러는 사이에 흰 가운을 입은 30대 중반 정도의 여성, 연구원, 적당한 중간 체격에 마른 몸매를 가진 긴 머리의 그녀는 영석의 근처에 앉았다.

무릎을 꿇은 채 다른 손으로 라이트를 켰다. 들고 다니는 여러

가지 물건들 중에는 비상 라이트도 있었다. 실내 전력이 끊겼을 때를 대비해서 하나 둘 정도는 가지고 다니라는 물품 리스트에 있는 것이다.

손 안에 쏙 들어오는 펜 형의 라이트는 제법 빛이 강했고, 그것으로 정신을 잃은 사내의 목덜미 근처를 살피다가, 그녀가 주사기의 바늘을 그 동맥 자리에 차분하게 꽂아넣었다.

영석은, 만 24시간 내에 독류에 속하는 화학물이 두 번이나 제 몸에 들어오는 수난을 겪었다.

***

3. 초인

영석은 자신이 꿈을 꾸고 있다고 생각했다. 어느 희고 깔끔한, 병원이나 연구소의 바닥같은 곳을 자신의 뺨으로 문지르면서 누워있는 처지가 말이다.

그리고 멀게 느껴지는 감각이 강렬했다. 온 몸이 가려운 것 같다.

"끄으으으으으…"

정신은 비몽사몽이었다. 꿈과 꿈이 아닌 현실의 경계에서 그는 감각이 아주 천천히 돌아온다. 그리고 그건 그에게 있어 좋지 않은 변화였다.

현실감과 함께 몸의 감각이 돌아오면서, 그는 격통을 인지했으니까.

"끄으으으으으···으으으아아!"

신음처럼 흐르던 것이 나중에는 괴성이 된다.

그는 메마른 목을 긁어댔다. 그의 몸에는 원래 별로 힘이 없었는데, 그러던 것이 어디에 남아 있었는지 모를 기력이 돌아와 발버둥을 쳐댔다. 쿠당! 하고 좁은 방 안의 탁상 다리나, 약물류가 들어 있는 서랍장의 벽면 따위에 부딪혔다. 굴러대며 발버둥치는 그가 여기저기 자신의 몸을 상처 입힌다.

그렇게 부딪히는 것을 모를 정도로 곧 가렵고, 뜨겁고, 따갑고, 온갖 종류의 통증이 느껴졌다. 살면서 느낄 수 있는 다양한 종류의 피부 통증을 전부 한 번에 느끼게 해주는 것과 비슷했다. "끄아아 아아아아···!" 그는 몇 바퀴인가 구르다가 서랍장의 바닥 부분에 이마를 쿵, 하고 박았다.

세게 박았는지 피부가 까지고 피가 흘렀지만 상관이 없었다. 양복을 입은 그의 몸이 비척거리면서 꼬였다. 마치 벌레가 그러는 것처럼 그는 바닥을 기고 구른다. 이미 흐트러진 옷매무새였으나 더욱 풀렸다. 와이셔츠 안쪽의 가슴팍, 복부, 여기저기가 가렵고 뜨거웠다.

점점 강렬해지는 통증과 감각은 일정 수치 이상을 넘어서 전부 '고통스러움'이라는 단어로밖에 말못할 것이 되어버린다. 간지러움

57

마저 그렇다.

쿵, 쿵! 그는 그러다가 무언가 방법을 찾았는지, 책상 다리 한 쪽을 잡았다. 그리고 그것에 이마를 세게 부딪혔다. 그러더니 다음 번에 박을 때는 의약품실의 흰 바닥이었다. 바닥의 특수 타일을 깨부술 기세로 쿵, 쿵 내려친다. 더 강한 통증과 자극이 들어오자 아주 일순간이나마 감각이 사라지는 것도 같았다.

그는 그렇게 자신의 몸을 두드리고 비틀고, 스스로 자신의 관절을 상하게 할 만큼 기괴한 꼴로 고통에 울부짖었다. "으아아아아아아!"

마지막에 내지른 비명은 거대했다. 어디에 힘이 남아 있었는지 모른다. 꽉 닫힌 굳은 철문 너머로까지 소리가 조금 새어 나갈 정도였다.

시간은 밤이었고, 그의 비명을 들을 인간은 없었다.

어차피 죽일 인간을 그저 특정 약물류의 반응 실험 대상으로 보고 소모하는 절차였다. 넉넉잡아 한 두 시간이 더 지나고 나서, 확실히 시체가 되었을 그를 살피기 위해서 멀리서 밤을 새는 연구원들 중 적당한 인간이 다가오리라.

영석은 아무도 모르게 괴로움에 부르짖으면서 죽어갔다.

*

Fa-1123은 1123번째 Fail이라는 뜻이었다. 원래는 다른 적당한 이름이 있었지만, 시험작에 불과한 것들에는 제대로 된 이름이 붙여지지 않았다.

초인물약, 혹은 초인약. 그런 장난같은 이름이 붙은 화학물은 인간의 신체 기능과 감각계를 극단적으로 끌어올릴 수 있는 가능성이 있는 물건이었다.

발상은 간단했고, 시도는 과감했다.

초인적인 인간, 새로운 인간 병기의 탄생을 바라는 어느 미치광이 연구원은, 거대 제약사의 일원으로 일하면서 야욕을 실현시키고자 했다. 원래는 꿈으로 끝났어야 할 그것이, 한국의 어느 거대 범죄 조직과 손을 잡으면서 단순한 꿈으로 끝나지는 않게 되었다.

그냥 농담 같은, 소설 속의 이야기로 끝났어야 할 지독한 욕망이 현실감을 갖고 실현되어 버린 셈이다.

Fail이라는 이름이 붙었다면, 시도가 있으리라. 실패는 시도의 이후에 나온 것이니까. 1123번째 실패라는 이름을 가진 약물은 곧 그 이전에, 1122명의 희생자가 있다는 말을 증명했다.

정신이 나가버린 싸이코패스들에게 사람이란 자원으로 보이기도 했다. 물론 인적 자원이란 경제와 경영학에서 충분히 통용되는 이야기였지만, 인격을 버리고 물리적인 재원으로만 바라본다면 그건 정신 나간 유물론자의 논리였다.

반사회적 공감기능 장애자, 살인마, 미치광이 유물론자, 뭐 그런 이명이 붙어도 좋을 어느 책임자의 주도 하에 제약사 Zaice가 만들어낸 약물은 한 번 더 임상 실험을 거쳤다.

천 여 번에 달하는 실패는 그 약물 프로젝트를 진행하는 이들에게 매너리즘을 선사했고, 기계적이고 심지어 대충 그 임상 실험을 진행하는 지경에까지 왔다.

초인약, 초인 물약이라는 환상 속의 물질은 불가능하다는 것이 실험자들 간에도 결론이 거진 난 상태였다.

Fa-1123은 엄밀히 말하면 아직 임상 실험의 실패 단계를 거친 물약은 아니었지만, 이전까지의 약물들과 큰 변화를 갖지 못한 대동소이한 물건이었기에 미리 이름이 붙여진 것이었다.

그리고 1123번째 임상실험은, 그 결과 가운데 어떤 변인이 작용했는 지는 알 수 없었다.

말했듯 매너리즘에 빠진 미치광이 과학자들은 '대충' 실험을 했으니까. 심지어 과학자로서 어떤 발견과 발명을 해내겠다는 목적의식마저 흐려졌는 지도 모른다. 어떤 체질과 특성을 지닌 누군가에게, 어떤 상황에서 투여되었는 지도 정확히 알 수는 없었으나, 기적적으로 이전의 천 여 번의 실험과는 다른 결과를 만들어내고 말았다.

Fa-1123이 특별한 약물이었는지, 혹은 그것의 실험 대상이 된 한 사내가 하필 특별한 체질을 가진 수십억 명 중의 한 명이었는 지는 알 수 없었다.

이제 그것을 알아볼 수 있는 기회가 연구소에 남은 몇 없는 직원들에게 있었지만, 그들로서는 안타깝게도 상황은 다시 시험을 해볼만한 가능성을 허락하지 않는 쪽으로 흘러갔다.

다분히, 그 피험자의 의사에 따른 일이었다.

어떤 정신나간 인간도 정체 불명의 독극물을 자신의 몸에다 시험하는 걸 반기는 인간은 없으리라.

김영석 역시 물론 그러했고.

*

"아."

성대에서 문득 맑은 소리가 났다.

영석은 자신의 몸이 변했다는 걸 인지했다. 정확히 어떤 작용이 일어난건 지는 알 수 없었다. 그러나 분명히 변했다. 자신은 그 이전과 전혀 다른 종류의 사내였다.

물론,

그가 기억하고 인지하는 수많은 추억들, 지식들, 인격에는 변함이 없었다. 그는 여전히 모자라고 멍청한, 그저 잔머리만 빨리 돌아가는 더러운 범죄 조직의 일원이었다.
얼마 전에는 자신의 친애하는 형을 잃어버린 동생이었고, 믿을만하다고 생각했던 협력자에게 배신을 당했다.

비령 그룹 계열사의 이사였고, 물리적으로는 그다지 남부럽지 않은 호화 속에서 살아가고 있었으나 칼날 위를 걷는 듯한 스트레스를 받은 최근의 나날들이었다.

그 위험과 스트레스의 종지부를 찍는다는 듯이, 사업 간, 정쟁 간 중요한 거래를 하러 간 자리에서 보기 좋게 뒤통수를 얻어 맞았다.

그렇게 약삭빠를 줄은 도저히 몰랐던 일이었다. 최기욱이라는 작자가 말이다.

"후."

짧게 숨을 끊어 쉰다.

김영석은 자신의 몸과 머리가 예전보다 훨씬 업그레이드 되었다고 확신했다.

그건 어떤 논리로 인한 인식이 아니었다. 그냥 알았고, 느껴졌다. 심지어 구체적으로 어느 정도 향상되었으며 이제 그 능력들을 사용해서 종합적으로 어떤 일이 가능한 지도 깨달아졌다.

그의 정신은 그다지 변한 게 없다. 다만, 물리적인 기능들이 말도 못하게 향상되었을 뿐이었다.

그는 서울 태생으로, 비루한 인생을 살다가, 어느 더러운 범죄 조직의 밑바닥을 굴러서, 기어코 살아남아 그 위로 올라갔던 한 인간이었다.

양심의 티끌이라도 남아있다면, 그나마 앞으로는 더 지독한 짓거리만은 하지 말아야지, 하고 어느 날 결심했던 그 사내였다.

짧게 끊어쉰 숨으로 자신의 폐활량과 심폐 지구력 따위를 알 수 있었다. 유산소 운동을 얼마만큼의 양으로 감당할 수 있는지, 나 혹은 무산소 운동으로 어느 정도의 파워가 발산 가능한 지도 깨달았다.

그리고 더욱이 이상한 점은,

시야가 달랐다.

그는 명료하게 지난 장면들을 회상해냈다.

최기욱,

그 개새끼가 있던 곳에서 자신은 정신을 잃었다. 희미한 기억 속의 총성을 떠올린다. 목덜미를 파고 들었던 주삿바늘. 거기엔 그가 알지 못하는 어떤 약물이 들어 있었고, 거기서 페이드 아웃된다.

다시금 눈을 떴을 때,

그 기억이 바로 이 장소였다. 그는 한 번 자리가 옮겨진 다음에, 이동한 적이 없었다. 몇 번인가 눈을 떴다가 감았다가를 반복하며 굉장한 고통을 느꼈다. 선명하게 뇌리에 박혀 있는 고통들이었다. 지금은, 씻은 듯이 사라졌고 아무 것도 느껴지지 않았다.

도리어 기분 좋은 활력감과 적당한 만능감만이 몸 이곳저곳을 감돌았다. 마치 20대, 혹은 10대 후반의 가장 왕성하고 정력 넘치는 육체로 돌아간 듯했다. 아무리 뛰어도 잘 치지지 않았고, 혹 진을 다 빼놓더라도 잠시만 자고 다음 날 아침이면 곧바로 힘있게 달려나갈 수 있던 그 시절 말이다.

육체의 활력이 계속해서 돋아나고 또 자라나던 시기에 어지간한 일은 소모로 느껴지지도 않았다. 그 때와 같은, 아니, 냉정하게 머리로 판단되는 기능을 가늠하자면 분명히 그 때 이상의 기능이 그의 몸이었다.

"……."

이게 말이 되나?

라고 생각했다. 우선, 그는 어두운 곳에 있었다. 별다른 불빛도 없었다. 그저 바닥 근처를 비추는 아주 희미한 푸른 조명만이 있을 뿐이었다.
그는 계속해서 정신을 잃었다 차리는 가운데 같은 곳에 있었고, 시야로 무언가를 확인한 일이 많지 않았다. 촉감만이 그가 그 곳에 있다는 것을 끊임없이 알렸지.

그러다가 촉감이 온통 고통으로 가득 찼을 때는 마치 현실에 있는 지옥을 경험한 것과 비슷한 기분이었다.
고통이 역치를 아득히 넘어버린 순간 정신이 끊어졌고, 다시 눈을 뜬 지금에서

그의 시야는 아주 밝고, 방 내부를 선명하게 구분할 수 있었다.

내부를 돌고 있는 광량은 이전과 전혀 변함이 없다. 변한 것은 그의 시신경과, 그것을 관장하는 뇌와, 그 외 모든 기관들이었다.

김영석은 방의 내부를 마치 밝은 방 안을 돌아보듯 본다. 아니, 그렇게 구분할 수 있지만 실제로 그의 눈에 보이는 건 마치 야투경 따위를 써서 바라보는 어두움 속이었다. 형체와 크기, 거리와 질감 모두 볼 수 있다. 다만 색은 어둠 가운데 밝은 초록색, 혹은 밝은 노랑과 백색 정도로만 구분이 되었다. 색깔까지 정확히 알기는 다소 어려웠다.

그가 있는 곳은 어느 병원이나 연구소의 의약품실 처럼 보이는 작은 방이었다. 그는 그 방의 한 구석에 비척거리며 계속해서 누워 있었고, 지금은 가뿐한 몸으로 상체를 일으켜 벽에 그 등을 기대어 있는 상태였다.

"……."

매끈한 흰 타일을 짚은 손. 그 손목이 눌리며 느껴지는 압력이 적당하다. 그는 자신이 그렇게 할 수 있다는 걸 분명히 알아서, 한 번 시연해봤다. 김영석은 발을 뻗고 앉아 있는 상태에서, 통, 하고 몸을 튕기듯 일으켰다.

별다른 예비 동작 없이 팔의 근력 만으로 상체를 띄웠고, 그대로 남는 공간 속에서 다리 근력을 이용해 자세를 잡고 몸을 세웠다. 그는 마치 트램펄린에 타고 있던 것처럼 가볍게 일어났다.
큰 거리와 공간이 나지 않더라도, 약간의 굽힘과 펴는 동작, 그리고 다양한 근육부의 조응으로 벌인 묘기였다. 턱, 하니 의약품실 내부에 그가 섰다.

직사각형의 작은 방. 가운데는 철제 데스크가 하나 있고, 삼면은 오로지 유리로 만들어진 수납장이 있어서 내부가 알 수 없는 다양한 약품이나 기기들 따위로 차 있었다. 아래쪽에는 데스크와 마찬가지로 유색의 철제 서랍이 있었고. 그가 있는 곳은 가장 깊숙한 곳이었고, 그 방의 끝에서 걸어서 몇 걸음 가면 곧바로 두터운 철제 문이다.

"음."

목을 가다듬으면서 제 피부 여기저기를 만져 보았다. 이상한 일이었다.

"……."

그가 굴렀던 바닥에는 먼지나 분비물이 묻어 있었다. 그가 괴성을 지르면서 뒹굴 때 나온 침이나 콧물, 혹은 피 따위이리라. 그런게 지저분하게 다소 묻어 있어 구둣발로 직, 하고 미끄러뜨려 문질러 보았다.

그렇게 피가 났음에도 불구하고, 이마 따위에 손가락을 가져가 매만져 보자 딱히 상처가 느껴지지 않았다. 피는 말라 있었고, 상처는 아물었다.

"……."

영석은 아무런 말도 할 수 없었다. 성대에서 나는 목소리가 깔끔했던 것처럼, 그의 피부 여기저기에도 이렇다 할 상처가 없다.

그는 깔끔한 상태였다. 한 번 휘익, 휘익 하면서 스트레칭을 하며 허리를 틀어보았다.

지나치게 가뿐한 허리가 느껴졌다. 관절부에 늘 걸려 있던 뻐근함, 디스크의 흔적 따위는 온 데 간 데 없다. 그는 …… 가만히 침묵을 지키고 있다가, 그저 철제 데스크의 한 부분을 쾅! 찍어보았다.

해머링, 이라고 하는 것처럼 주먹을 꾹 말아지고 그 아랫단으로 철제 데스크를 친다. 쿵! 하는 소리와 함께 철제 데스크의 한 부분이 아주 살짝 홈이 패였다.

"……허."

영석은, 그 좋은 머리로 받아들여지는 여러가지 사실과, 상식 속에서 혼란스러움을 느꼈다.

꿈이 아니라는 것을 누구보다 명료하게 받아들이고 있지만, 반대로 무엇보다도 이게 꿈이 아닌가, 싶은 기분이 강렬하게 들었다.

*

"……나는 이 씨발 회사를 나가겠어."

민준의 말이었다. 그는 이 회사에 그렇잖아도 불만이 많았다, 늘. 들어온 지 이제 1년이 채 되지 않은 민준이다. 그와 마찬가지로 세정과 스티브 역시 1년을 다 채우지 못했다.
그 동안 비령 제약에서 일을 하면서 그들이 느낀 것들은 비슷하리라. 그러나 그 반응은 제각기 달랐다.

세정은, 그 상황에 그저 순응했다. 누가 보아도 이상한 짓거리들을 자행하는 이 집단에 수긍을 한 것이다.

그 동기가 돈이라는 것은 부인하기 어려웠다. 실제로 그들 정도의 연차에 이 정도의 봉급을 받는 자리는 별로 없었다. 그의 윗직급들, 그리고 부장급 정도 되면 어디 거대기업의 임직원이 부럽지 않은 돈을 기본적으로 받는다.

성공적인 프로젝트, 라는 것이 이 비령 제약에서 무엇을 뜻하는지는 모르겠지만 가끔 주어지는 인센티브를 생각하면 그보다 더 많은 돈을 종종 받기도 하고 말이다.

몇 년 정도 이 속에서 꾹 참고 일을 하는 것만으로도, 앞으로의 생을 편안하게 살 수 있을 정도의 돈을 얻을 지 모른다. 그런 사실이 그녀를 비열하게 굴도록 만들었다.

민준은 눈 앞에서 이상한 짓거리를 지시 당한 연구원으로서, 더 이상 일반적인 인간의 상식을 무시하는 집단 속에서 일하는 것이 힘들어졌다. 그럴 지 모른다, 는 소문을 듣고 또 주변의 이상해 보이는 인간들이 있는 것 까지는 참겠지만. 자신의 손으로 과학자로서의 상식이나 일반 사회 구성원으로서의 상식을 무시하는 일들을 자행하는 건 지나치게 리스크가 컸다.

제대로 되먹지 않은 방식의 삶을 선택하다 보면, 그 말로나 결말이 영 좋지 않은 것이 세상의 상리인 법이다. 민준은 그것을 두려움으로 알았다.

스티브는 깊게 고찰하지는 않았지만, 그도 어느 정도 정상적인 감각은 있었다. 깨나 스트레스를 받고 있었으니까.

고작 한 시간 여 전에, 스티브와 세정은 직접 부장의 말을 들어 어느 의약품실에 가서 생전 본 적도 없는 사내의 동맥에 실패작인 약물을 투여했다. Fa-1123. 스티브가 연구 제작에 참여했고 직접 관리하던 약물 중 하나였다.

이 회사는 제대로 된 정보를 임직원들에게 알려주는 법이 없었지만, 어쩔 수 없이 알게 되는 실무자로서의 정보가 있는 것이다. 그건 도저히 사람에게 놓을 만한 것이 아니었다.

백 번 천 번, 혹은 만 번을 양보해서 저 인간이 어떤 계약 조건 하에 들어온 임상 실험자라고 하더라도, 극독이나 다름 없는 것을 직접 투약하는 것은 그냥 살인 행위에 불과했다.

스티브는 살인자가 되고 싶지는 않았다. 그건, 당연한 일이었다. 이 미치광이같은 회사를 나가자는 민준의 말에 어느 정도 공감을 하고 있었다.

"……마음대로 해. 나는 이곳에 남을 거니까."

머리를 뒤로 한 줄 곱게 묶은 세정은 흰 가운을 입고 있었다. 야간 당직을 서고 있는 세 말단 실무자들은 제각기 차림새가 달랐다. 민준은 흰 가운은 어딘가에 벗어둔 상태였고, 그저 흰 셔츠에 면바지를 입고 있다.

스티브는 체크 무늬의 흰 셔츠에 청바지를 입었고, 그 위에 가운을 걸쳤다. 차림새에 그다지 까다로운 장소는 아니었다. 자신이 할 일을 잘 하고, 쓸데 없는 일을 벌이지만 않는다면 그들에게 부정적인 피드백을 주는 인간은 이 집단 내에 없었다.

얼마나 좋은 직장인가,

하고 세정이 생각하게 되는 지점이었다. 이상하고 기이한 일들이 세상에 많다는 건 그녀 역시 알고 있다. 더 깊이 들어가서, 그런 알지 못할 일들의 한 부분은 속이 시커먼 자들이 일부러 은폐하고 있는 사건의 일각이며, 이 비령 그룹 역시 그런 작자들의 범죄가 벌어지는 곳이라는 것까지 알았다.

그러나 사법적으로 그녀에게 리스크가 주어지지 않는다면, 그녀는 그저 거대 집단 속에서 자신의 업무를 진행한 일개 사원에 불과하다. 연구원으로서 일을 하고 돈을 받는다. 그녀를 나쁘게 말하는 자도 없고, 흔한 경쟁적 커리어를 뽐내는 집단 속에서의 시기 질투 따위도 적었다.
좋게 말하면 나사 하나 빠진 듯이 구는 인간들이 많은 곳이었다. 그런 집단이 대체 어떻게 돌아가는 지는 의문이었지만, 그녀가 신경쓸 바는 아니다.

편하고 쉽게, 안정적으로 돈을 받아먹을 수 있는 곳이었으니.

민준은 이질적인 역겨움을 참기가 반면 어려웠다.

그가 적당히 쉬쉬하고 넘겨버린 소문들 가운데 반절만 진짜라고 하더라도 비령 그룹과 비령 제약은 정신나간 싸이코패스 집단에 가까웠다. 아니, 나아가 본격적인 범죄 조직이리라. 연구원으로서, 과학자로서 지켜야 할 최소한의 윤리와 커리어의 기준이라는 게 있었다.
이런 곳에 몸을 담았다는 사실이 알려지면 앞으로 학계나 업계에서 제대로 된 일을 하지 못할 수도 있었다. 그 이전에 인간적인 역겨움도 좀 있었고.

"……후. 그래서, 그 인간은…… 어떤데."

민준은 Fa-1123의 효과나 부작용에 대해서 전부 알고 있지는 못했다. 그저 이 제약사에서 다루고 있는 약물들이 그저 건전하거나 별다른 효과가 없는 것들만은 아니며, 하나같이 충격적인 효과를 위해 진행하는 프로젝트고 그에 반대급부로 따라오는 부작용 역시 막심하다는 걸 경험적으로 알 뿐이다.

더군다나 어떤 곳에서도 제대로 검토되지 않은 시험 단계의 약물을 대뜸 민간인에게 투여하지는 않는다. 그건 전쟁통에서 날치기처럼 대충 진행되는, 비인도적 실험이나 마찬가지인 것이었다.

인세에 펼쳐진 지옥도 속에서 더욱 심한 지옥도를 만들어내는 짓거리를, 여기에서 제 손으로 하고 싶지는 않았다.
지금은 Fa-1123이고 영문 모를 한 명이라지만, 그게 열 명이 되고 백 명이 된다면? 시험 단계의 약물 중에서도 더욱 극악하고 어떤 결과를 가져올 지 모르는 것을 퍼뜨리거나, 수많은 사람들이 그것에 피해를 입게 된다면?

과학자로서 겪기 어려운 수준의 모욕이었고 최악의 현실이었다. 비참함을 견디기 어렵다면 제 스스로 극단적인 선택을 하고 말 지도 모를 일이었다.
사람은 그처럼 수많은 사람들에게 비극적 결말을 가져올 정도의 일을 감당할만큼 그릇이 크지 않다. 사람은 고작해야, 자기 목숨 하나 건사하지 못해서 빌빌거리고 또 자기 인생의 짐을 다 지지 못해서 쓰러지거나 하는 존재이다.

누구에게 유익한 일을 한다면 그것에 한계는 없겠지만. 사람에게 선천적으로 주어진 어떤 그릇이 악업을 담기 위해서 지어진 것은 아니었다.

민준의 물음에 스티브는 작게 말했다.

"Oh……."

한국말이 때로는 한국인보다 능숙한 인간이 군소리를 내자 민준이 얼굴을 찡그렸다. 스티브가 그 약에 대해서 더 잘 알고 있는 모양이었다. 그 결과에 대해서도 금방 짐작을 하겠지, 그러면. 민준이 다그치듯 그를 노려보았다.

"……."

그의 눈빛에 스티브는 피하듯이 고개를 돌렸다. 그가 바라보는 것은 그들이 머무는 어느 연구실의 벽면에 붙은 디지털 시계였다. 1초의 오차도 없이 위성 시계의 그것과 같이 표시되는 디스 플레이였다. 검은 화면에 흔한 디지털 시계가 그러하듯 초록색의 불빛으로 표현된다.

AM 2:11.

스티브는 마른 침을 삼켰다. 아까 전에 세정과 함께 방으로 걸어가 정신을 잃은 동양인 사내에게 약물을 주사한 지 1시간 반 정도가 지났다.

동물 실험 단계에서 Fa-1123이 투여되고 가장 오래 버틴 동물이 38분 20초였다. 체중이 많이 나가는 성체의 수컷 돼지였다. 사람에게 시험해본 적은 없지만 그 무수한 동물들보다 특별히 앞서리라 생각되지는 않는다.

거기다 양 역시 정량 이상을 주사한 것 같았다. 소량으로도 치명적인 인체의 손상을 불러 일으킬 수 있는 극독이었다. 말이 좋아서 기능을 향상시킨다고 하지, 물리적으로 육체 기관에 변형을 일으킨다는 건 삐끗하면 전부 망가뜨릴 수 있다는 말과도 같은 이야기였다.

그리고 어떤 신의가 기적적으로 약물을 완성시키더라도, 아직 현대 인류의 의학은 고작 물약 하나만으로 누군가의 몸을 극적으로 바꿔내지 못했다.

'더 좋은 쪽'으로 완벽하게 기관들을 변형시킨다는 의미에서의 '바꿈'이었다. 그건 정확히 말해 조정調整이라는 단어가 더 어울릴 테다. 다른 의미의 변화는 곧 '파괴'라는 말이 어울렸고, 그 정도는 얼마든지 가능하다.

말 한 마디 듣지 못한 어느 건장한 사내의 뇌가 완벽히 망가지고 그 외 내장기관들도 지나친 열로 기능을 잃고 변형되는 등 처참한 꼴이 되었으리라는 확신을 가질 수 있었다.

그냥 말이 좋아 실험 단계의 약물이었지, 누군가를 고통스럽게 보낼 때 써먹을 수 있는 효율 좋은 독약이나 다름이 없었다.

스티브가 눈가를 떨었고, 조금 찡그렸다.

그의 표정으로 기색을 읽은 민준은 마찬가지로 정신적으로 부하가 걸렸다.

망할 비령 제약.

제대로 되는 일이 없고 하는 일이 없다. 그의 인생에 고난만을 던져주고 있었다. 이 씨발 회사는 말이다.

이곳에 오래 있다가는 제 명에 못 살 것이 분명하다.

그는 이번 당직이 끝나고 나서 곧바로 부장의 면전에 사표를 던져내리라는 생각과 함께, 그 장면을 시뮬레이션했다. 조금 기분이 나아지는 것도 같았다.

그러고 나서 이 한국을 뜨던, 혹은 다른 변변한 직장을 찾아보던 해야 한다.

누구한테 말할 때 거리낌 없는 일을 하고, 적당한 돈을 받자. 그리고 자신의 원룸으로 돌아가, 좋아하는 바닐라 아이스크림을 먹으면서 영화를 보자. 딱 좋은 계획이었다. 이 빌어먹을 회사의 닫힌 공간 속에서 그가 할 수 있는 유일한 정신적 위로 행위였다.

"……가서 확인 하지."

민준이 고개를 떨구고 잠깐 다른 생각을 하고 있을 때, 스티브가 무겁고 유창한 한국어 발음으로 이야기했다.
그들이 벌인 일의 결과는 결국 봐야 했다. 이 미친 제약사의 내부에서 어떤 일이 벌어지는지. 더 이상 깊게 알고 싶지도 않다. 엮이고 싶지도 않았고. 스티브 역시 지금이 마지막이라고 심정적으로 여긴다.

이런 짓거리는 한 번으로 족하다. 건장한 백인이 말했다. 민준은 고개를 들어 그를 봤다. 많은 말을 하지 않아도 뉘앙스에서 대충 실험의 결과는 짐작했다.

아마 그는 죽은 모양이었다. 스티브가 부장으로부터 듣고, 또 다른 이들로부터 건너건너 들은 신원 불명의 사내.
이름도 모르는 사람 하나가 이곳으로 의식 불명의 상태인 채 끌려왔고 죽었다. 그가 지켜보는 가운데 같은 공간에서 벌어진 일이었다. 민준은 머릿속이 헝클어지는 기분이었고, 더 이상 스트레스를 받고 싶지 않아서 일순 생각을 멈췄다.

그래, 씨발. 보자. 어떻게 된 건지 눈으로 확인을 하자.

민준은 그렇게 여기며 고갤 끄덕거렸다. 세정은, 이미 돌이킬 수 없는 짓을 했다고 스스로 알고 있었다. 어쨌건 세 명은 이번엔 함께 방을 나섰다. 걷는 곳은 1027 의약품실이었다. 지하 1층 연구동의 27번 방.

그리 멀지 않았고, 그들이 걷는 느린 걸음으로도 2분이면 도착한다.

*

끼이익.

철문이 서서히 열렸다.

그전에 바깥에서 삐빅거리면서 울리는 전자음이 있었다. 잠금 장치는 문과 연결되어 있어서, 어두운 의약품실 내부에서도 곧이 들렸다.

기분이 어떠냐,

고 묻는다면 김영석으로서는 최선의 기분이었다.

아니 기분이 아니라 컨디션이라고 바꿔 말해야 할 듯 하다. 컨디션은 최상이었다. 기분은 최악이었고. 그는 빌어먹을 일을 몇 번이고 당했다. 자신이 지금 왜 여기에 와 있는지조차 제대로 알 수 없었다.

조직이 벌이고 있는 여러가지 쓰레기 짓거리들 중에서 그가 파악하지 못하는 일들도 아주 많았고, 그를 납치한 조직원들이 자신을 어느 장소에 데려왔는지 감이 잡히지 않는다.

연구소와 같은 분위기의 실내로 보자면 비령 제약사를 아무래도 가장 먼저 떠올리기는 한다만. 그 본사 건물인지, 혹은 지방 어디에 있는 연구소의 한 구석인지 알 도리가 없다. 본사 건물에 속한 연구소 내부라면 결국 서울이다.

그가 정신을 잃고 얼마나 시간이 지났는 지도 모른다. 내부에는 시계도 없고, 그가 가지고 있던 소지품들도 아무것도 가진 게 없다. 정신이 들고 나서 알고 갖고 있는 건 지난 기억들과 뒤통수를 맞은 순간의 선명한 장면, 그리고 입은 옷 뿐이었다.

그는 헝클어졌던 옷을 그대로 내버려둔 채 의약품실 바닥에 그대로 누워 있었다. 띠리릭 거리면서 누군가 문을 여닫는 소리를 듣자마자 본능적으로 행한 위장이었다.

천천히 열린 철문은, 서서히 그 틈새로부터 바깥의 백색광을 어둔 방 내부로 비치게 만들었다. 새어들어오는 빛과 함께 천천히 고개를 빼꼼, 내미는 것은 말단 연구원들의 면상이었다.

영석으로서는 아직 보지 못한 낯들이지만, 그의 민감한 감각기관은 소리만으로도 들어오는 이들의 형체를 대략적이나마 짐작할 수 있게 해주었다.

기이한 일이었다. 그 자신이 박쥐라도 된 마냥, 정확한 형체까지는 알 수 없어도 대강의 체격이나 낌새, 분위기를 정확히 할 수 있었다.

박쥐라면 미세한 생김새의 요철까지 구분을 했을테니 그보다는 못한 능력이지만, 인간으로서는 말도 안 되는 기능이었다.

영석은 그런 자신의 신체 변화에 혼란스러워 할 시간이 없었다. 당장은, 일단 움직이는 게 중요했다. 그는 할 일이 있다.

갈팡질팡하고, 뒤에서 머리만 굴리다보니 둔해졌던 현실에 대한 감각을 일깨워준 건 진형의 말이었다.

너 살아라. 거지같은 조직보다, 머리 잘 굴리고 정신 똑바로 차려서 살아 남아라.

영석은 그러기로 했다. 더욱이 어떻게든 잘 마무리를 지어보려고 했던 조직과의 연도 마지막 뒤통수로 온전히 날아가버렸다.

자신은 지금 한 번 죽은 것이나 다름 없는 인간이었다.

한 번 죽었던 인간에게, 그 이전까지의 인연은 그렇게 큰 소용이 없다. 지금부터는 새 마음가짐으로 살아간다. 그건 자신의 선택이었다. 어떤 것을 취하고, 어떤 것을 버릴 지.

구렁텅이같은 인생 속에서 속 시커먼 작자들이 암투를 벌이는 조직은 다시 돌아가고 싶은 장소가 아니었다.
다만 치러야 할 채무 정도는 있었다.
그에게도 인간적인 정이나 연민 따위가 있었으므로 말이다.

그 구덩이, 지옥, 쓰레기통 같은 곳에서도 어떤 인간 관계라는 게 있었다. 그걸 유일하게 나눠봤던 대상이 별다른 소리도 내지 못하고 비참하고 연약하게 죽었으니.
그는 죽다 살아난 목숨을 써서 그 쓰레기통을 한 번 엎어볼 생각이었다.

이게 무슨 판타지 영화 속의 일은 아니었지만, 영석의 좋은 머리와 강화된 기능은 끊임없이 사실을 그 스스로에게 알려주고 있었다.

그가 할 수 있는 일들의 종류와, 그것들을 사용해서 실행할 수 있는 다양한 계획들 말이다.

가장 먼저 할 일은 이것이었다.

끼익, 하고 조심스럽게 철문을 열고 들어온 자들이 셋이다. 아까는 둘이었으나, 민준, 스티브, 세정은 함께 방 내부에 발을 들였다.

생각보다 별다른 냄새가 나지 않았다. Fa-1123, 약물로 인해 죽은 동물은 하나같이 그 내장 기관에 치명적인 타격을 입고 체액 따위가 바깥으로 흘러나오곤 했었다. 독극물과 생체 조직이 어떤 반응을 일으키는 건지는 몰라도 코를 찌르는 듯한 냄새가 그 실험의 마지막 결과 중 하나였는데.

생각보다 밀폐되어 있던 실험실 내부에는 그렇게 자극적인 냄새가 없었다. 스티브가 그래서 이상하다, 고 생각하던 참이었다.

달칵.

라이트 스위치를 더듬어 찾던 스티브가 마지막에 들어서면서 의약품실 내부의 불을 켰다.

그리고,

휙

하고 바람이 부는 듯한 소리가 났다. 환풍기를 켜두지 않은 의약품실 내부에 바람이 돌만한 것이 없었다. 그들이 들어선 곳에는 시체 하나가 있을 뿐이었다.

시체라고 생각했던 정물이,

움직여서 그들 앞에 낯을 들이밀었다.

신의 존재를 깊이 생각해보지 않았던 스티브는, 갑작스럽게 일어난 초현실적인 광경에 패닉에 빠져버리고 말았고, 눈이 뒤로 뒤집혔다.

"악!"

민준은 짧게 호흡을 내질렀고, 세정은 비명조차 지르지 못한 채 얼어 붙었다.

영석은 불이 켜짐과 동시에 일어나서 의약품실 내부의 밝은 장면과, 그리고 눈 앞에 들어오는 세 명의 인상착의를 모두 확인했다.

가속화된 듯한 사고가 느리게 움직이는 현실 속에서 자유롭게 계획을 점검했다.

변변찮은 모습으로 보이는 세 명이었고, 그에게 그리 크게 위협이 될 것 같지도 않았다.

영석은 느리게 감각되는 밝은 세계 속에서 여유롭고 부드럽게, 또 천천히 팔을 뻗었다.

그 모습을 눈에 담고 있는 연구원들에게는, 지독하게 빠르고 또 무엇이 일어나는지도 모르는 정도의 동작이었다.

퍽,

하고 정확하게 턱을 갈기는 동작에 뇌가 흔들리며 눈앞이 검게

변하는 게, 민준이 겪은 일이었다.

*

4. 숨 좀 쉬자

퍽, 하고 민준의 턱을 갈긴 영석은 아주 느리고 천천히 움직이는 사람들을 보았다.

그의 앞에 있는 건, 문을 열고 들어와 보였던 평범한 체구의 여성 하나, 한국인 남성 하나, 그리고 백인 남성 하나였다.

가장 먼저 앞서 들어왔던 한국인 남성은 불이 켜짐과 동시에 영석의 몸이 움직여 가 닿았다. 그의 시선에서 번뜩, 하고 시야가 밝아졌을 때 곧바로 그 앞에 낯선 낯짝이 있는 것으로 느꼈으리라. 놀랄 만도 하다.
아무도 없다, 시체 뿐이다라고 생각했던 자리에서 사람의 얼굴을 보았으니까. 귀신이나 유령, 그런 류도 인식한다면 뒤집어질 만하다.

그런 상황에서 영석이 민준에게 깔끔한 주먹질을 날린 것이고, 더도 말고 덜도 말고 무방비 상태의 일반인이 기절할 정도의 충격만 준 영석은 나머지 사람들을 향해 움직였다.

여자나, 건장한 체격의 백인 남성 또한 황망한 눈깔로 현실을 인지하기 위해 애쓸 뿐이었다. 놀라 쓰러지지 않은 게 다행이었다.

고작해야 몇 초, 또 한 순간, 숨 한 번 몰아쉴 시간 가운데 일어나는 일이었고 뇌리 속의 생각이다.

영석은 자신의 동체 신경과 신체의 운동 반응, 그리고 사고 속도가 비약적으로 빨라져 있음을 계속해서 체감할 수 있었다.

비정상적인 속도였다. 어떤 인간, 올림픽에서 금메달을 따곤 하는 사람들도 이렇게 움직이지는 못한다. 대략적인 가늠만으로도 어지간한 기초 종목들의 기록을 전부 갈아 치울 수 있다, 고 스스로의 몸을 느끼며 생각했다.

사람의 몸은 기본적으로 그 정도의 에너지를 발산하도록 지어져 있지 않았다. 물론 초인적인 능력을 발휘하는 사례들이야 있었지만, 그런 일이 지속적인 경우는 현대에는 사례가 없었다. 어느 전설 속에, 삼손이니 하는 이름들로 전해져 오기는 하지만 현대의 연구자들이 볼 수 있는 실증 사례로는 전무하다.

영석이 겪고 있는 변화와 능력은 여러 가지 우연이 기적처럼 겹쳐서 일어난 것이었고, 그건 지독한 농담이나 비슷한 것처럼도 느껴진다.

조직 생활을 하다가, 다른 계파원에게 얻어 맞고 끌려오고, 비령 그룹의 제약사 건물 내부에서 독살 시도를 당했더니, 죽지 않고 도리어 살아나서 히어로 무비의 주인공같은 능력을 얻게 되었다라니.

영석은 평소 즐기는 취미 몇 가지 중에 소설이 있었다. 제대로 배워먹지 못한 놈이었지만 따분하지 않은 이야기를 볼 때의 몰입감은 그의 인생에서 몇 없는 정적과 평안을 선물해주는 시간이었

는데,

만약 이대로 모든 일이 잘 풀려서 그에게 평온한 자유가 주어진다면 소설로 써볼만한 이야기였다. 그런데, 워낙 어이가 없는 내용이라 개연성이 없다며 누군가에게 욕을 들어먹을 지도 모를 줄거리이기는 했다.

어쨌든, 영석은 눈 앞의 두 사람을 보았다. 백인 남성은 기어코 눈을 질끈 감았고 여성은 자신을 보고 있으나 눈깔에 초점이 제대로 맞지 않았다. 표독스러워 보이는 듯도 했다, 여성의 표정은.

일단 적이라고 인식하는 게 좋을 것이다. 그가 비몽사몽간에 당했던 많은 일들이 또렷한 정신 속에 정리되어 기억났다. 자신이 이 방에 끌려 들어오고 나서, 그가 겪었던 격통의 원인은 분명 이들이었고, 개중에서도 여자였다. 그 때 어렴풋이 보았던 어둠 속 희미한 각도의 인형은 아마 이 여자일 테다.

영석은 순간 괘씸함이 치밀어올라서, 민준과 마찬가지로 여자의 턱을 갈겼다. 조금 과하게 쳤고, 순간 목뼈가 덜그럭거리며 흔들렸다. 세정의 두개골 속 뇌가 가차 없이 흔들렸고, 그대로 그녀는 정신을 잃었다. 차라리 다행이었다. 버티고 서 있기 힘든 심정이었으니, 그녀의 독살스런 마음으로도 말이다.

자신이 죽였다고 생각한 원한 없는 대상이 도리어 살아나서 멀쩡히 움직이는 꼴은, 어떤 공포 영화에 갖다 대어도 비견하기 어려운 공포감을 살인 미수자에게 자아내는 광경이다.

영석은 그대로 픽 쓰러지는 두 명의 신형 사이로 제 몸을 욱여

넣었고, 시선을 피하고 찡그리던 백인 남성, 가장 뒤에 있던 스티브에게 다가갔다. 그대로 밀치듯이 나가면서 스티브의 발을 걸었다. 뒤로 저항 없이 넘어가는 그다. 그대로 후두부를 감싸 안으면서 거구를 바닥에 넘어뜨렸다. 쿵!

그의 몸이 연구실 바닥에 드러누웠다. 아직 정신은 남아 있었다. 안타깝지만, 영석은 해야 할 일을 하기로 했다. 영문도 모르는 이 공간 속에서 그의 편은 없다고 생각하는 게 좋았고, 멋대로 움직일 가능성이 있는 자들을 두었다가는 위험만 늘어날 뿐이다.

세 명이 각기 다른 방향과 자세로 무너지듯 바닥에 제 몸들을 댔다. 민준과 세정은 문틈 사이에서 넘어진 것이라서 그대로 바닥에 대가리를 박지는 않았다. 좁은 틈에 그 몸들이 끼어 천천히 무너지듯 떨어졌고, 스티브는 영석이 보호했다.

물론 보호한 것으로 끝낼 생각은 없었다. 영석은 곱게 넘어간 스티브의 뒤에서 가볍게 두 손으로 그 목을 눌렀다. 경동맥 부위였고, 원래 이렇게 하는 일은 아니었다. 초크, 라고 불리는 자세와 기술은 꽤나 많은 힘이 들어갔고 한 번에 확실한 부하를 혈류에 주어서 상대를 기절시키는 것이었으니.

그러나 영석은 그저 손바닥 면을 그 목의 양쪽 경동맥 부위에 잘 가져다 대고 한 번에 누르는 것만으로 가능할 듯싶었고, 그래서 그 손으로 온전히 목을 감싸 쥐며 강하게 순간 압박했다.

몇 초가 지나지 않아서 '그륵'거리는 소리를 내더니 스티브의 눈알이 뒤집히는 것을 보았다. 후유증이 있다면 어쩔 수 없겠지만, 그마저 걱정할 정도로 여유로운 상황은 아니었고, 또 그런 상대들도 아니었다.

비령과 어찌저찌 연이 닿아 있는 연구원들일 확률이 높았다. 알고 그러했든 모르고 그러했든, 범죄 조직에 연루되고 또 직접적으로 영성 자신의 목숨을 노린 인간들이다. 죽이지 않은 것을 고마워해야 하리라.

영석은 그렇게 몇 명을 처리했다. 밝은 복도. 가뿐한 몸.

마지막으로 쓰러진 스티브의 몸께를 적당한 손길로 더듬어 짚었다. 혹시 어떤 특별한 도구 따위가 있어 그의 신변에 도움이 될까, 하는 생각에서였다. 잠시간 그러던 영성이 손을 털고 일어섰다.

그는 지저분한 얼굴을 손바닥으로 문질러 닦고, 넥타이를 똑바로 맸다.

"크흠."

걸려 있던 뭔가를 뱉어내듯, 힘주어 헛기침을 하고 숨을 쉰다. 머리가 조금 돌아가는 것 같았다. 기능은 깨어난 이후로 과도할 정도로 좋기는 했는데, 그런 것 말고. 그냥 기분이 말이다.

어둠 가운데서도 사물을 정확히 꿰뚫어보던 비정상적인 시력은 밝은 곳을 당연히 더 잘 보았다. 연구동 복도의 저 끝까지, 평소라면 도저히 보이지 않았을 작은 지점까지 확대경으로 보듯 확인이 가능하다.
여전히 이상한 점이 많았지만 어쨌든 살아남았다.

살아남아라,

형이 마지막으로 하던 말이 메아리처럼 귓가에 있었다. 그래, 살아야지. 살아서 뭐든 해야지. 개같은 조직을 어떤 식으로든 처리한다면 더 좋을 것이다. 그 살아남는 과정에 있어서.

점차 정이 떨어져가던 곳이었고, 구더기같은 자들이 들끓던 판이었다. 한 번 죽다 살아났다면, 못 할 것이 딱히 없다.

영석은 옷 매무새를 툭툭 털어 정돈하면서 흰 복도를 걸어갔다.

*

연구동 내부에는 분명 CCTV따위가 즐비하게 깔려 있을 것이다,

라는 게 그가 가장 처음 든 당연한 생각이었다. 그렇잖아도 제약 계열 등 물리 화학 연구소는 기밀이 많을 테인데, 비령 그룹과 관련이 있다면 불법적인 일에도 어렵잖게 손을 대는 곳일 가능성이 높았다.

뒤가 구린 놈들, 속내가 시커먼 놈들은 늘 자신들의 비밀을 감추기 원하기 마련이고, 그에 따라 보안이 철저해질 것이다. 과도할 정도로 말이다.

비령 제약에 소속되어 있는 연구원들은 어느 정도 도청이나 감시, 미행 등 불법적인 인권 침해를 당하고 있었다. 모든 연구직원들을 그렇게 하기에는 제약사나 그룹 내에서도 인원이 그리 많지는 않았고, 특정 프로젝트를 진행중이거나 혹은 눈에 띄는 연구원

들을 대상으로 번갈아가면서 하고 있는 짓거리였다.

개중에서 민준이나 스티브 같은 경우에는 상부의 지시에 달가워하지 않는 듯한 모습을 보인 바가 많았으므로, 근래 직접 감시를 당한 바가 있었고.

어쨌든 그가 걷는 건물 내부에서 영석의 움직임을 보고 있는 자들이 많을 가능성이 높았다. 깔끔한 실내의 복도를 또각거리면서 걷는다. 갈색의 구두는 많이 닳아 있었다. 운동용으로도 움직일 수 있게끔 특수하게 나온 종류였다. 겉보기에는 평범한 구두였지만 신어보면 재질의 착용감이 좋고 신축성이 있었다. 반쯤 운동화라고 해도 좋았다.

영석이 자주 애용하는 브랜드의 물건이었다. 보가트Voggate, 라는 이름이었다. 가격도 그다지 비싸지 않았고, 오래 신을 수 있는데 반해 말이다. 평범한 운동화 정도의 값이니 구두 종류를 사는 돈이라고 생각한다면 훨씬 아끼는 일이리라.

그가 있는 연구소의 내부 구조에 대해서는 아는 바가 없었다. 그저 쭉 뻗은 흰 길을 따라 걷다가, 벽면과 골목이 인도하는 대로 방향을 틀어서 어딘가로 가고 있을 뿐이다.

적당한 걸음은 뛰지 않고 있는데도 불구하고 속력이 제법 빨랐다. 전체적으로 신체 능력이 향상된 덕분이다.

여기저기를 살피는 눈동자가 찾는 것은 CCTV처럼 보이는 물건이다. 연구소 복도의 벽과 천장이 교차하는 꼭짓점 자리, 모서리 따위, 길목 전체를 시야에 담을 수 있는 적당한 각도의 자리에 무언가 있는가 해서.

영석의 걱정과 달리 그를 직접 지켜보고 있는 사람의 눈길은 없었다. 제약사 건물에서 당직을 서는 경비원이 없는 건 아니었지만, 그가 보는 곳은 연구동 쪽이 아니라 지상층의 본사 건물 부근이었고, 그마저도 나태한 근무로 화면을 주시하고 있는 것이 아니라 커피를 마시고도 밀려오는 잠을 이기지 못해 눈을 돌린 상태였다.

연구동 내부 연구실이나 개인실 등에 영석이 기절시킨 세 명의 말단 연구원 말고도 여러 사람들이 있기는 했다. 그러나 그들은 영석이 일어났으리라고는, 도저히 상상하지 못했다. 애초에 죽을 지도 모르는 양의 신경성 약물을 투입했고, 그 다음에 실험의 일환이라면서 극독을 넣도록 지시했으니까 말이다.

직접 영석의 죽음을 명령한 부장, 이라는 인물 또한 마찬가지였다. 그 역시 부족한 잠에 밤 가운데 쪽잠을 자면서, 눈을 뜬 뒤 어떻게 되었느냐고 스티브에게 물을 작정이었지 지금 영석에 대한 걱정을 하고 있지는 않았다.

영석은 그렇게 자유롭게 움직였고, 누구의 방해나 감시를 받지 않았다.

연구동 내부의 길이 그리 복잡하게 이루어져 있지는 않았다. 애초에 그가 갇혀 있던 1027의약품실 자체가 그리 삼엄한 경계 속의 시설도 아니었고 말이다. 연구동 내부의 여러 시설들 중에서.

또한 잠금장치 따위가 길목에 있다고 하더라도, 기밀 시설 안쪽에서 보다 낮은 레벨의 장소로 '나가'는 데는 그다지 ID카드가 필요하지 않았다. 그러고도 혹시 몰라, 스티브의 가운의 안팎을 뒤져 신분증 처럼 보이는 종류의 물건들 몇 개를 챙겼다.

개중에 쓸만한 물건이 있다면 일이 수월할 테다.

영석은 약 십 몇 분간 연구동 내의 길목을 헤매다가, 어렵잖게 바깥으로 나가는 연구동의 출입구를 찾을 수 있었다. 지하1층에서 지상층, 비령 제약의 본사 건물로 나가는 데는 스티브의 ID카드가 필요했고, 마침 쥔 물건들 중 하나가 그것이라 자연스럽게 사용했다.

영석은, 초인은 제약사 건물의 비밀스런 지하층에서 벗어날 수 있었다.

*

8월 10일 새벽.

비령 제약사의 본사 건물 지하에서 한 명이 바깥으로 나왔다.

어둔 밤 텅 빈 로비를 통해서 시가지에 위치한 빌딩 출입구로 자연스럽게 나가는 인형을 막는 사람은 달리 없었다. 제약사 내부 시설을 지키는 가드들도 그날은 딱히 없었고, 비령 그룹은 내부의 조직원들을 무력이 필요한 곳에 배치해 이용하지 외부 용병을 고용하지도 않았다.

특별한 프로젝트가 있다거나, 중요한 행사가 있다거나, 특별히 삼엄한 경계를 해야 하는 날에는 조직원들이 철통같이 지키고는 했지만 오늘은 아니었다. 비령 그룹의 간부랄 수 있는 김영석이 뒤통수를 맞고 연구 시설 내부로 들여보내졌지만, 이미 그 시점에서 김영석은 죽은 자나 크게 다름이 없는 상황이었다.

비령 금융의 최기욱과 제약 쪽의 민형석이 손을 잡았고, 그들은 계획의 상세에 대해서 공유를 했다. 민형석은 비령 그룹 내에서 정쟁 중 독극물을 통한 암살을 할 때 아주 요긴한 도움이 되는 인간이었다.

그룹 내 여러 계파의 간부들은 살아남은 김영석을 골칫덩이로 규정했고, 그를 회유해서 자신들의 휘하 간부로 삼는 것보다 제거하는 게 낫다고 판단한다.
진형과의 관계를 아는 자들이, 그의 친형제 같던 목진형이 죽은 이상 김영석이 비령 그룹의 다른 파벌에게 쉽게 고개를 숙이지 않으리라 확신한 탓이었다.

회유되지 않는 김영석은 다룰 수 없으며 언제 목덜미를 노릴지 모르는 날카로운 칼이나 다름이 없었고, 곧이어 가장 먼저 처리해야 할 대상으로 그 처지가 바뀌게 된다.

민형석이 최기욱에게 도움을 준 건 수많은 휘하의 전투 조원들과 치명적인 용량의 신경독이었고, 그것이 투입된 순간에 최기욱은 김영석이 거진 끝났다고 생각을 했다.
아마 운이 조금만 따라주지 않으면 죽을 테고, 살아남더라도 온전치 못한 병신으로 살아가던가, 어쨌든 복수를 꿈꿀 수는 없는 처지가 되리라고 말이다.

악독하며 치밀한 비령 그룹 내의 여러 지모들도 죽은 자에 대해서 더 이상 신경을 쓰지는 않았다. 김영석은 최기욱과 민형석이 판 구덩이에 제 발로 걸어 들어갔고, 그 마지막은 그저 제약사 계열의 어떤 실험에 희생되는 더미에 불과한 것이었다.

그런 와중에 김영석이 살아서 걸어 나온다는 건 있을 수 없는 일이었는데,

그런 일이 벌어졌으므로 의외로 큰 어려움 없이 그는 다시금 서울 시내의 공기를 맡을 수 있게 되었다.

"후, 하."

숨을 자주 쉬는 것 같다.

새벽녘, 비령 제약의 본사 건물이 있는 한 시가지 근처의 도로변을 걸으면서 김영석은 바깥의 공기로 마음껏 숨을 쉬었다.

그가 멀쩡히 다시 서울의 거리 위를 걷고 있고, 돌아왔다.

신의 안배인지, 무엇인지는 그 내용을 알 수 없지만 덤으로 초 인적인 수준의 신체 능력까지 얻어서 왔다.

김영석은 잘못 쏘아진 오발탄같은 처지였다.
그 오발탄은 제법 위력이 굉장한 것이었고, 잘 돌아가는 머리로 자신이 쏘일 과녁을 고르고 있다. 비령 그룹은 무너지는 편이 대한 민국 사회를 위해서도 더 나은 집단이었다. 내부에서도 그렇게 생 각했고, 이렇게 그 속에서 밀려나온 이후에도 변함없는 생각이다.

영석은 먼저 그 과녁으로, 목진형을 죽이는 일에 가세한 모든 계열사들을 골랐다.

*

비령 그룹은 덩치가 큰 사업체 연합이었다.

범죄 조직으로 시작해서 어떻게 이 정도 규모를 일구어냈는지 알 수 없는 수준이었고, 현재 그들이 있는 대한민국 사회는 비정상 이라고 하는 게 옳고 또 납득하기 쉬운 설명이었다.

비령 그룹이 돈을 많이 벌수록, 더 많은 사람들의 삶이 크게 망 가진다.

그런 사업 구조를 갖고 있는 집단이 어지간한 대기업같은 모양 새가 되었으니, 그들이 지어 올린 건물이나 그 내부의 시설, 인적 자원에 대한 급여가 무엇으로 이루어져 있는지 짐작하는 건 어려 운 일이 아니었다.

누군가의 인생을 구렁텅이로 빠트렸고, 또 지금도 현재 진행형으 로 그러고 있었다.

사회 전체의 건전성을 해치는 일이라고 해도 좋았다. 경찰 조직 들은 지나치게 비대해진 조직의 몸뚱이를 보고, 어디서부터 갈라 쳐내야 가장 소모와 소란이 적을지 간을 보고 있는 와중이었다.
함부로 건드렸다가 그 거대한 몸뚱이를 멋대로 비틀어대면, 더한 사고가 날 지도 모르는 일이기에. 당장 비령 그룹에 속해 있는 조 직원들의 숫자만 하더라도 천 단위였다.

당장 칼이니 뭐니 하는 무기들을 들고 설칠 수 있는 장정들의 숫자가 그 정도라면, 말이 좋아 비령 그룹이고 조직 폭력배지 사회 전체의 위험도를 높이고 있는 반 테러집단이나 크게 다를 바가 없었다.

비령 그룹이 거기까지 커지고 또 단시간 내에 덩치를 불릴 수 있었던 데는, 그들의 더러운 손이 필요한 몇몇 위정자들의 도움이 있었던 탓이었다.

모든 위정자가 악하지는 않고, 능력이 없지도 않았다. 지혜롭거나 또 혹은 공익을 위해서 열심히 일을 하고 있는 이들도 분명 있으리라. 그런 행정 직함의 요원들이 나라를 위해 애를 쓰고 있기에 행정부는 돌아가고, 국민들의 삶이라는 것도 유지되게 마련이었다. 그건 '실제'적인 일이었고, 어떤 일이나 현상의 실제를 감당하기 위해서는 누군가의 노력과 애씀이 필요했다.

실제로 일을 하는 사람과, 그것을 자신의 일인양 선전하며 거들 먹거리는 이들은 분명 다른 종류였다.
비리를 위해 자신의 능력을 쓰는 인간들도 있었고, 개중에는 죄질이 악하거나 성질이 지독한 자들도 있었다. 반쯤, 혹은 온전히 사이코패스라고 봐도 좋은 인간들 또한 몇몇이 있었고.

나라는 위기였고, 어쩌면 비령 그룹이 커지기 이전부터도 그랬는지 모른다. 비령은 단지 이미 있었던 먹음직스러운 먹잇감을 집어 삼켜 커진 벌레에 불과했고, 애초에 그들이 커질 단초를 제공한 '상황'은 대한민국에 미리 존재를 했던 것이니까 말이다.

범죄 조직의 암살 실행조니, 뭐니 하는 것들이 필요한 자들이 권력자들 중에 몇이 있었다. 유난히 썩었고 또 직접 그 짓거리를 시행할 자들이 개중에 다시 몇이 있었고. 영화에나 나올 법한 더러운 비리와 범죄 행위를 일삼는 미치광이들.

정계나, 혹은 가장 거대한 부류에는 속하지 못하지만 나름대로 이름 없는 돈을 많이 모아온 부유한 자들이 비령의 뒤를 봐주었다. 다시 그들의 가려운 부분을 비령 그룹이 긁어주었고.

악착같은 공생 관계로 인해서 비령은 그럴싸한 크기와 규모, 내부 내용을 지닌 단체가 되었다.

대한민국의 정재계를 비롯해서 여기저기에 발을 걸치고 있는 괴물, 혼합 폐기물, 뭐 그런 것이라고 할 수 있었다.

영석은 그런 그룹의 내부에 있던 인물이었다. 변변찮은, 그저 그런 일개 조직이 어떻게 성장하고 변모하는지 옆에서 계속해서 지켜보았다. 그와 진형이 맡은 임무들 따위를 성공적으로 해내고 살아남을수록 비령 역시 커져갔다.
종래에는 이해할 수 없는 덩치가 되었고, 못배운 양아치로 시작한 그의 조직 생활이 말미에 팔자에도 없는 감투와 함께 수북한 돈을 쌓아 건네주기에 이르렀다.

안락한 생활을 싫다고 할 자가 없겠지만, 양심에 찔리는 일이 있다면 그 삶이 결코 평화로울 수는 없었다.
지금 당장 편안한 이기들이 생활 속에 주어진다고 하더라도 그 모든 게 언제 무너질 지 모르는 상황이라면 스트레스가 더 크다. 언제 뒤통수에 총구가 겨눠진 뒤 총알을 맞을 지 모른다면.

영석은 비령이 점차 커지는 게 그런 일이라고 생각했다. 뒷골목 양아치들은, 답게 사는 게 옳다. 썩어빠진 쓰레기나 더듬으면서 저들끼리 치고박고 말이다. 그 사이에 낭만도 뭣도 없고 비열함 속에 살아가는 과정이었지만, 차라리 그 안에서 인간적인 정이 있던 사내를 만났었다.

노는 물이 커졌다고 들떠 있지만, 사회 전체에 악영향을 끼치면서 뭐라도 되는 양 거들먹거리는 꼴은 영석의 눈에 언제 어디서 넘어질 지 모르는 불안한 삶이었다.

비령의 다른 간부들을 말하는 것이었다. 자신의 형인 목진형이 그런 길을 걷지를 않길 바랐고, 진형은 그의 의심과는 달리 그런 길에 욕심이 없었던 듯 하다. 식구들, 혹, 개중에서 또 자신을 지키려는 의지가 올곧은 사내였다.

비령이고 뭐고 다 때려 치우고 어디 조용한 곳에 가서 농사나 짓고 살거나, 물건 떼다가 파는 작은 사업이라도 하자고 했으면 웃으면서 그러자고 했을 지도 모른다.

영석은 그게 참 아쉬웠다.

그런 말을 못 한 자신이 못내 견디기 어려운 머저리로 느껴졌고.

그리고 그래서, 그런 아쉬움의 크기만큼 비령을 부수기로 했다.

비령 제약, 금융, 물산, IT, 엔터, 공업, 그 외 여러 회사들이 있었다. 큰 계열사도 있고 작은 쪽도 있었다. 대부분은 불법적인 방법으로 도산 위기에 처해 있던 여러 회사들을 거두어들인 뒤 시설과 인력을 그대로 고용하고, 다시 불법적인 유착으로 일감을 따와서 규모를 불리는 식으로 만든 회사들이다.

한 번 망했던 회사들은 다른 살 길이 없었기에 비령 그룹 산하로 들어왔고, 고용자들은 이전과 그래도 비슷한 환경에, 연봉들은 그럭저럭 잘 챙겨주었기에 불만없이 일했다.

그러나 그들이 하고 있는 일들은 사실 비령 그룹의 목적에 따라 언제든지 엎어질 수 있는 것들이었고, 당장 그 다음 날 회사의 문을 닫고 어느 내전 중인 국가에 몰래 싸구려 무기 설계도와 그 부품을 양산해서 팔아 먹는다고 해도 이상하지 않은 것이 수뇌부의 머릿속이었다.

여러 계열사들 중에서 각 업계에서 1위를 차지하는 회사는 없었지만, 그래도 나름의 저력으로 중간 정도의 위치는 차지하면서 돈을 벌어들이고 있었다. 그 업계에서 응용할 수 있는 다양한 불법 사업들에도 뛰어들면서 가외적인 수입은 대외적으로 드러나는 것에 비해 훨씬 많았고 말이다.

불법적인 자금을 모으고, 그 돈으로 조직원들을 불리고, 다시 그 조직원들을 사용해 다양한 암투에 써먹는다. 비령이 커질수록 한국의 치안은 개판이 될 것이다.

영석은 우선, 자신의 후두부를 세게 후려쳤던 기억이 남아 있는 얼굴을 찾아가기로 했다. 금융 쪽의 최기욱은 그래도 심지가 굳은 양반이라고 생각했는데. 그가 접선을 시도한 시점에서 이미 다른 작자와 손을 잡았던 것 같다.

거짓말에는 능숙한 줄 몰랐는데, 속에 구렁이가 들어 있었다.

*

5. 회복

달칵.

하고 다시 문을 열고 들어온 집은 낯선 꼴이었다.

영석의 시야였다.

비령 물산의 오너, 라고 해도 좋았을 그였다. 지금 그의 위치가 정확히 어떤 지는 알 수 없었다. 그러나, 집 안의 꼬라지를 보자면 대충 짐작 가능하다.

"……."

그는 속으로 한숨을 삼키었다.

그가 머물고 있던 맨션은 비밀스런 장소였다. 자세한 주소는 물론 대략적인 위치에 대한 언질도 측근에게 흘린 바가 없었다. 알고 있는 작자는 목진형 하나뿐이었는데, 그 양반은 먼저 떠나고야 말았으니.

수작들을 보자면 짐작치 못할 것도 아니었다. 그의 휴대폰에 주소 정보 정도는 적혀 있었으니까, 영석을 기절시킨 뒤 보안을 뚫고 내부를 뒤져서 그의 신상을 털었을 수도 있었다.

그도 아니라면 비령 물산 내부에 다른 파벌의 측근을 스파이로 심어서 영석이 알아채지 못하는 가운데 심도 깊은 미행이나 도청 따위를 해왔다던가.

어쨌건, 집은 이미 털린 뒤였다.

깔끔하게 정리는 못하더라도 그래도 사람이 살 수 있는 상태였던 맨션은 거친 방문객들이 들이닥쳐서 자기들 멋대로 인테리어를 재배치 해두었다.

여러 가구들이 뒤집어져 있었고, 서랍장 등 무언가 수납할 수 있는 공간들은 죄다 열려 그 내용물이 땅바닥에 흩어져 있었다.

맨션 내에 물산에 대한 다른 중요한 서류나 기밀 따위를 두진 않았으므로, 그다지 소득은 없었을 것이다. 고작해야 비상금 조로 어딘가에 숨겨 둔 2천만원 정도의 현금 다발과 금붙이 정도가 집을 뒤진 불청객들이 얻었을 전부이리라.

본래는 맨션에 총도 한 정 두고 다니기는 했지만 마지막 외출 때, 리볼버는 직접 품에 넣고 나섰었다.
그리고 쏴보지도 못하고 곧바로 덮쳐져서 기절을 했었지.

"망할."

영석은 욕지기가 치밀어올라 중얼거렸다. 뒤집어진 소파가 참으로 인상적이었다. 내부는 개판이었다. 그대로 신발을 신고 들어왔던 듯, 여기저기에 검은 발자국이나 먼지들이 온통 흩어져 있었다.

흰 바탕을 기조로 해서 깔끔하게 꾸며졌던 맨션 내부였는데 말이다. 더욱이 대비되어 선명하게 드러나는 흔적들이었다.

영석은 그대로 엉망이 된 맨션 내부로 들어섰다. 이미 꼴이 말이 아니었기에 신발을 벗지도 않았다. 철컥, 하고 맨션의 문이 닫혔다. 사실 이런 모양이 되었다면 그의 거처였던 비밀 맨션도 안전한 장소는 더 이상 아니라는 뜻이었다.

그러나 도리어 다시 말해서, 이미 한 번 털었기에 다시금 누가 올 확률이 적기도 했다. 아이러니하게 다시금 잠시 쉴만한 거처로는 쓸만해졌다.

영석은 옷이라도 좀 다시 갈아입고 씻기 위해 들렀던 차다. 비령 제약사의 본사 건물은 서울 중심부에 위치했었고, 그가 최기욱을 만나기 위해 갔던 서울 외곽의 어느 허름한 상가 건물보다 도리어 자신의 집이 더 가까웠다.

누군가에게 납치당해 끌려간 뒤 의식을 잃었었지만 집에서는 조금 더 가까워졌던 셈이다. 수중에 가진 것이 아무것도 없었기에, 짐을 좀 챙길까 했다.

영석은 거실의 가운데에 멋들어지게 엎어져 있는 흰 가죽 소파를 짚었다. 한 손으로 그 모서리 즈음을 잡고 아래로 손을 넣었다. ㅅ자로 엎어진 꼴이었다. 그대로 손을 비틀며 몸을 움직였다. 한쪽 귀퉁이를 잡고 몸 전체를 이용하자 한 손으로 짚었을 뿐이었는데 소파가 빙글, 돌았다. 텅, 하고 그 밑둥이 맨션 바닥과 부딪히는 소리가 났다.

영석은 소파를 제 위치로 만들어두고, 더러운지 살폈다. 불청객들이 맨션을 더럽힐 때 소파를 가장 먼저 넘어뜨리기라도 했는지, 가죽 한 구석에 칼에 베인 자국을 제외하고는 별다른 오물이 없었다. 뒤집혀져서 날리는 먼지 따위에서 가려진 모양이다.

그리고 그는 다시 구석으로 걸음을 옮겼다. 맨션 구석에서 다소 전위적인 위치 선정을 하고 있는 작고 흰 냉장고를 본다. 코드가 꽂혀 있었는지 우웅거리면서 구동되는 소리가 들린다. 냉장칸 부분을 열었다. 음료수가 한 개 남아 있었다.

탄산수였고, 아직 따지 않은 듯한 새것이 용케 남아 있자 그는 하나를 꺼내들어 따서, 입으로 가져갔다.

"크으."

목마름을 채우는 건 중요한 일이다. 사람은 먹어야 사니까 말이다. 해야 할 일이 많을 때는, 도리어 잘 먹어야 할 테다.

폭발적인 에너지를 내는 신체는 열량이 제법 많이 필요하다고 스스로 인식하고 있었다. 당장 힘을 내는 것에 큰 문제는 없었지만, 장기전이 된다면 연료를 보충하듯 이것저것 먹어야 할 필요가 있었다. 먹는 양이 조금 늘 것 같았다.

영석은 다시 집 구석 이곳저곳을 둘러보았다. 비상금을 숨겨 두었던 찬장 속의 과자 통이니, 혹은 싱크대 서랍 아랫단의 비밀 공간이니 모조리 털려 있었다.

무식한 놈들은 집의 이곳저곳을 살피면서 손속을 가리지 않았던 건지 수납장의 바닥이 모조리 찍혀 부서져 있었다. 망치를 들고 다니면서 여기저기 찍어댄 것 같은 꼴이다.

영석은 탄산수 한 병을 금새 비우고는 쓸만한 것을 찾았다. 방 한 쪽에 구비되어 있던 옷장과 내부의 옷들은 전부 흩어져 있었다.

옷장 속 옷은 종이나 혹은 작은 물건들을 숨기기에 좋은 주머니나 여러 공간이 많았고, 탐색자들 역시 그것을 간과하지 않았던 듯 공을 들여 뒤진 듯했다.

개중에서 그나마 상태가 가장 좋아 보이는 외투와 옷들을 건져서 갈아입기로 했다. 수도는 멀쩡하고 물도 나왔다.

영석은, 일단 여유롭게 샤워를 하기로 했다.

*

핸드폰은 당연히 가진 게 없었다. 그의 것은 이미 잃어버렸다. 요긴하게 쓰고 있던 비상 연락용의 그것도, 권총도, 지갑도.

신분증도 뭣도 없는 상황에서 그가 할 수 있는 일은 상당히 제한적이다.

그러나 그런 상황마저 대비를 했다는 점이, 김영석이 머리가 깨나 돌아가는 놈이라는 사실을 증명한다.

영석은 우선 집안 구석에 남아 있던 푼돈을 조금 주워 대중교통을 이용했고, 그가 잘 아는 부동산업자를 찾아갔다.

예전에 조직 생활을 했던 양반이 일찍이 손을 털고 새로운 사업을 시작한 것이었다.

영석과 진형과도 제법 친분이 있던 인간이었고, 조직 생활 중에 그나마 말이 통하는 인간이었기에 서로 자주 교류를 하고는 했었다.

이제 그의 지난 과거를 기억하는 사람은 별로 없다. 평범한 어느 부동산의 주인 아저씨로 있는 중년이었고, 영석보다는 나이가 훨씬 많았다.

영석은 얼마 전에도 만났던 그를 찾았다.

부동산의 유리문을 열고 들어가서, 내부에서 종이컵으로 커피를 마시며 신문을 뒤저거리고 있던 그를 마주했다.

딸랑

하면서 부동산의 유리문에 걸린 알람종이 소리를 냈다.

"…오세요."

대강 말을 흐리면서 느리게 출입구 쪽을 쳐다본 업자, 김만수는 아주 뜻밖의 인물을 보았다는 듯 곧 눈을 크게 떴다.

"…야, 영석아."

약간의 황망함마저 어려 있는 말소리였다. 영석은 그의 표정에서 별다른 거짓의 기색을 찾을 수 없어서 피식 웃고 말았다. 전부터 사람의 표정이나 눈치는 잘 살피던 영석이었다. 최기욱이 감추고 있던 속내는 몰랐지만.

아무튼 그런 그였는데, 눈이 좋아지고 왜인지 머리 회전이 훨씬 빠르게 된 이후로 표정을 알아차리는 일이 더 정교해지고 빨라졌다.

당장 김만수가 믿을만한 인간이 아니라고 하더라도, 달리 컨택해서 도움을 요청할 사람이 별로 없기도 했다. 영석은 키가 작지만 단단한 체격의 늙은 사내에게 피곤한 표정으로 이야기했다.

"…여. 존나게 반갑습니다, 그래."

김만수는 더운 여름날, 얇은 모시로 된 셔츠를 걸치고 면 반바지를 입고 있었다. 속에는 러닝 셔츠를 입은 행색이다. 부동산 내부는 에어컨이 빵빵하게 틀어져 있었다. 주인의 씀씀이에 따라 온도가 조금 달라지기도 할 텐데, 아주 추울 정도로 에어컨을 틀어둔 상태다.

손님을 상대해야 하는 업장이라 그런 것도 있었고, 그냥 김만수가 더위를 싫어하는 양반이라 그런 점도 있었다.

마찬가지로 시원한 걸 즐기는 영석으로서는 쾌적하고 좋았다.

김만수는 들고 있던 신문지를 구겨 내팽겨 치듯 테이블에 놓고, 안쪽에 있던 소파에 있던 몸을 벌떡 일으켰다. 영석보다는 꽤나 작은 키다. 그럼에도 불구하고, 나이를 먹었으나 단단한 체구와 자세는 중년의 사내가 어쩐지 만만치 않다는 인상을 심어준다.

기분탓만은 아니었고, 아마 실제로 붙어 봐도 어지간한 젊은이들을 이길 테였다. 팔심이 아주 좋고, 경험 많은 노련한 양반이었다. 그 경험이 뒷 세계에서 조직 생활을 하며 익힌 실전적인 것이라고 한다면 상당한 무기이리라. 김만수는 뒷골목에서 젊은 날의 시간을 보냈고, 또 사지 멀쩡하게 그곳에서 벗어나기까지 했다.

다른 놈들에 비하면 심지어 양심을 지키면서 행동하기도 했었고 말이다.
그게 쉬운 일들은 아니었다.

다가오는 김만수에게 영석이 이어 말했다.

"그, 물 한 잔 안 줍니까?"
"어, 어. 저기 있다. 마셔라, 아니 줄게."

김만수는 반가움에 인사라도 할 듯한 자세로 다가오다가, 영석의 말에 방향을 바꿔 작은 냉장고 쪽으로 발길을 돌렸다. 안에는 손님들을 위해서나 만수 자신을 위해서 갖가지 음료수나 주전부리 따위를 채워 넣어 둔다.

영석은 친근한 반응에 감사함마저 느끼며 응접용의 소파 한 자리를 차지하고 우선 앉았다.

*

"······난 너 죽은 줄 알았어."

만수의 말에 영석의 표정이 슬쩍 굳었다. 다른 사람의 입으로부터 듣기에 썩 기분 좋은 말은 아니었다.

그리 오래 지난 일도 아니었다. 고작해야 만 하루 전에 일어난 일이었으니까.

"…누가 그러덥니까?"

영석의 물음이었다. 만수는 순순히 답했다.

"최기욱이가. 아니 그 전에 비령 쪽에서 똘마니들이 모두 똑같이 얘기하던데. 그냥 너네 쪽에 있던 애들도 전부 같은 얘기를 했었고. 너네 애들까지 그러니까 나야 당연히 그런 줄 알았지…."

"최기욱이 직접 형한테 연락하진 않았을 거 아녜요."

"어, 그냥 전해 들었지. 그렇게 말하고 다닌다고. 너네 애들도 직접 본 건 아냐. 그냥 너한테 연락하다 안 돼서 건너건너 연락해 보니까 닿은 놈들이 말로 그런 거지."

김만수는 비령 그룹과는 그다지 관련이 없는 자였다. 그렇기에 영석이 편하게 만나고 있는 것이기도 했고.

그간 다양한 일에 대해 그에게 도움을 주었던 양반이다. 오래전, 그리 규모가 크지도 않은 어느 조직에서 전투조로 일하면서 무수하게 많은 작전을 벌이고 또 살아남고 금방 은퇴했던 사내다.

그가 몸담았던 조직은 예전에 흔적도 없이 사라졌으므로, 그를 아는 사람은 별로 없을 테다.

다만 영석이 그와 자주 교분을 나누었기 때문에, 간접적으로 연락을 주고 받을 만한 통로 정도는 그에게 전달을 해두었다.

그 외에는 아마 김만수 본인이 여기저기서 듣는 귀가 있어서 수소문을 해본다거나, 아는 정보들일 테였고.

비령 그룹 내에서 김영석이 죽었다, 라는 소문이 공공연하게 떠돈다고 한다. 이미 기정 사실이었고, 실제로 김영석 본인이 자취를 감추었다.

거기다가 그룹의 실세나 간부라고 할만한 중진들이 직접 퍼뜨리는 소문이기에 설득력이 더해졌다. 비령 물산은 자연스럽게 와해에 가까운 상태가 되었고, 남아 있는 간부들 몇 놈만으로 그룹 내 정쟁에서 살아남기란 아주 어려웠다.

당장 물산 쪽 애들을 통제할만한 여력도 안되는 놈들이었다. 수백 대 수 백을 상정하고 머리 싸움을 하고, 자신의 목숨과 회사까지 온전히 보전할만한 머리나 담력이 없었다. 영석 자신의 부하이기에 냉정하게 내릴 수 있는 평가였다.

자연스럽게 리더라고 할 만한 자들이 모두 사라진 물산은 다른 쪽으로 통합되었다. 순순히 진형파, 물산파, 그리고 영석 파벌의 휘하 직원들은 다른 계파원이 되었다.

가장 많이 먹은 쪽은 아무래도 최기욱이나 제약사를 쥐고 있는 민형석 쪽이지 않을까 싶었다. 애초에 금융과 합병을 하기로 준비를 하고 있었고, 그 서류 그대로 날치기 통과를 하고 통째로 집어 삼키는 데 어려움이 없었을 것이다. 거기다가 몰래 김영석의 뒤를 치는 데 도움을 주었던 제약사 쪽이 손을 얹어서 파이를 갈라 먹었을 테고.

한국식이니, 전이라고 하자. 아주 먹음직스럽고 노릇노릇하게 구워진 비령 물산이라는 조직을 저들끼리 잘 찢어 먹었을 것이다. 거기에 뒤늦게 참여한 식사자가 있다면 끄트머리라도 얼마 먹었을 수도 있다.

어지간해서는, 자신을 따랐던 놈들 중 몇 정도야 쓸만한 새 인생으로 바꿔보고 싶기는 했지만 상황이 허락하지 않는다면 어려울 수도 있었다. 아마 필시 어려운 상황 밖에 펼쳐지지 않으리라.

영석은 진지하게 만화 같은 짓거리를 머릿속으로 계획 세우고 있었다. 단신으로 비령 그룹이라는 거대 범죄 조직을 무너뜨리는 일 말이다.

그것이 실감이 나는 일이던, 개연성이 확립된 사건이건, 상관 없이 그의 손아귀에 만화 같은 능력이 주어졌으니까.
만화 같은 짓거리를 벌일 뿐이었다. 영석은 확고하게 그렇게 생각했다.

김만수는 영석의 표정을 살폈다. 그의 동생이 어떤 고난을 겪고 이 자리에 왔는지 상상이나 짐작이 잘 가지 않았던 탓이었다. 그리고 그건 놀라운 일이었다. 김만수의 상상력은 깨나 좋은 편이었고, 뒷골목의 생리에 대해서 잘 아는 자였으니까.
그로서도 생각하기 어려운 고생이라는 건 종류가 제한적이었다. 거대 조직이 된 비령 그룹에서 정적들에게 찍혀 죽었다고 알려진 자가 버젓이 살아 돌아오기까지 대체 어떤 사연이 있어야 하는가.

차라리 영석의 몸에 진한 상처나 피가 묻어 있고, 꼴이 말이 아니었다면 그나마 더 짐작하기 쉬웠을 지 모른다.
영석의 차분하게 가라앉은 표정 속에 그가 무슨 생각을 하고 있을지 가늠하기가 어려웠다.

"……괜찮냐?"

만수가 할 수 있는 말은 달리 없었다. 차분해 보이지만 그래서 어딘지 더 맛이 간듯한 동생을 단순하게 걱정하는 일 밖엔.

"……."

김영석은 불안하게 뜸을 들였다. 낮게 가라앉은 눈동자는 한국인 특유의 검은색보다 더 짙고 검게도 느껴진다. 거기에 담긴 감정 때문이었다. 옛날의 기억과 최근의 사건들을 교차하며 생각하던 영석이 말했다. 쯧. 혀를 차고서 말이다.

"…안 괜찮으면 뭐 어떻게 합니까. 괜찮아야지. 그냥 맡겨놨던 거 받으려고 온 거에요. 그때 줬던 거 그대로 있죠? 가져 갈게요."

영석의 말에 만수는 금방 알아차리고 작게 고갤 끄덕인다.

"그래라. 가져가야지. 앉아 있어."

그렇게 말하고 만수는 자리서 일어나 움직였다. 먼저 바깥쪽으로 가서 큰 유리 통창의 커텐을 치고 유리문의 발을 내렸다. 슬쩍 현관을 잠그기도 했다. 철컥거리면서 부동산이 일시적으로 휴업했다.

평범해 보이는 어느 시가지의 별 다를 바 없는 부동산 업자의 가게는 통유리로 그 바깥과 이어져 있었다. 안쪽에는 플라스틱 제의 커튼과 발이 있어 눈을 가릴 수 있었고, 통유리는 특수 제작한 물건이라서 그대로 두꺼운 강화 유리였다. 소총탄이 날아오더라도 같은 자리에 연속해서 맞지 않는다면 관통되지 않았다. 난사의 경우라면 상당히 오랜 시간 버틸 수도 있었고.

눈에 띄는 짓거리를 한 만수는 그대로 다시 탁상에 돌아왔다. 영석이 앉은 자리 앞에서 슬쩍 데스크를 밀었다. 밑에는 때 묻은 카펫이 있었고, 그 자리에 타일류를 깔아둔 바닥이 있다. 카펫을 들추고 만수는 타일 하나를 짚었다. 손으로 짚고 꾸욱 눌렀다. 달칵 소리가 나면서 타일 하나가 바깥으로 밀려 올라왔다.

기이한 일이었다. 평범한 부동산에 있을 법한 장치들은 아니었다. 정확한 부분을 상당히 오래 눌러야 했기에 생각보다 우연히 찾을 수 있는 구석은 아니다.

만수는 영석이 보는 앞에서 타일의 올라온 부분을 매만져 여닫이 문을 열듯 바깥으로 열었다. 그대로 접합부가 떨어지면서 아래로 문이 열렸다. 그 아래에 금고가 하나 들어 있었다. 그대로 공중을 향해서 문을 보이고 있는 철제 금고다.

지문식과 암호식으로 열 수 있었는데, 만수는 거기에 제 엄지와 검지를 번갈아 가져다 대면서 두터운 금고의 문을 열었다. 다시 덜컥 거리면서 철제 잠금 장치가 움직이며 문이 열렸다.

그 속에는 작은 꾸러미가 있었다. 가죽 꾸러미였고, 내부는 적당한 물건들로 채워져 있는지 무게감이 있어 보였다. 만수가 그것을 들어 툭, 하고 테이블 위에 던졌다.

다시 열었을 때와 마찬가지의 절차를 반대로 하며 금고를 닫고, 타일을 덮고, 카펫을 깔고, 테이블을 움직인다.

번거로운 동작 뒤에 만수가 말하면서 커텐 쪽으로 다가갔다.

"그대로지? 만진 적도 없다."

그 말에 영석은 가죽 꾸러미의 입구를 벌리면서 내용물을 낮은 테이블 위에 쏟아냈다. 이런저런 잡동사니나, 부동산에 관련된 책이나, 오래된 서류, 캔음료 따위가 있는 탁상이었다. 그 가운데 자리에 수첩이나 지갑 따위가 떨어져 내렸다.

영석은 이런 식으로 비상시에 쓸 수 있는 여러 요긴한 물건들을 감추어 둔 바가 있었다. 만수에게 둔 것이 개중 하나다. 서울 인근의 개인 금고 다른 곳에 또 한 꾸러미가 있었다.

내부에는 신분증, 체크 카드, 현금, 휴대폰, 뭐 그런 것들이 들어있다. 방수방진에 튼튼하게 만들어졌다는 어느 외국 기업의 휴대폰은 눌러보니 아직도 잘 작동을 했다. 만수에게 맡긴 것이 몇 년 전인데 심지어 전원조차 켜졌다. 당장 쓰려면 충전을 좀 해야 할 테다.

"예. 그대로네요."

영석이 건조한 말투로 답했다. '충전 좀 합시다.'라고 말하며 콘센트를 찾아 두리번거렸다. 그런 영석의 손아귀에서 핸드폰을 만수가 가져갔다. 그대로 어느 구석의 충전기에 연결하는 핸드폰이다. 충전은 아마 그리 오래지 않아 깨나 될 것이다.

쓸만큼만 배터리가 차면 된다. 통신이 가능한 유심 또한 어느 경로로 미리 구해둔 것을 꾸러미 안에 넣어 두었다. 영석은 그 구석으로 터벅이며 걸어가 쭈그리고 앉아 유심 칩을 핸드폰에 삽입

했다.

그 뒷모습을 바라보던 만수가 이야기한다.

"……이제 뭐하냐."

별로 특별할 것 없는 물음이었다. 앞으로 일정 어떻게 되느냐, 고 만나서 식사라도 하던 친구 간에 할 수 있는 이야기다. 그러나 괜스레 다르게 들리는 이유는 영석이 처한 상황이 그리 곱지 않았던 탓이다.

비령 그룹 내에서 척살 대상으로 꼽힌 영석이 살아 돌아왔다. 자세한 사연은 모르지만 영석 계열의 조직원들은 모조리 다른 쪽으로 흡수된 듯했고, 믿고 따르던 진형 역시 변을 당한 것을 만수 역시 알고 있다.

영석이 골라서 갈 수 있는 길이 여러 종류 있으리라. 몸 성히, 버젓이 살아 있음에 감사하고 이대로 어딘가 도피를 해서 새 삶을 살아볼 수도 있었다. 그간 영석이 비령의 간부로서 있으면서 챙겨 놨던 탈출로가 만수를 찾아온 것처럼 여기저기 있으리라.
이런 때를 대비해두지 않았을 김영석이 아니었다. 만수가 아는 영석은 그런 놈이었으니.

그도 아니라면, 복수를 꿈꾸면서 내부 정보를 전부 들고 경찰 쪽에 가볼 수도 있을 듯했다. 결국 범죄 조직에 불과한 비령 그룹은 치부를 건드리면 한 번에 무너지게 되어 있는 모래 위의 성이었다.

그과 얽혀 있는 여러 유력자들이 뒤를 봐준다지만, 공론화 되어서도 살아남을 수 있을 정도로 버젓한 집단은 결코 아니었다. 당장 현재 진행형으로 사회에 끼치고 있는 악영향만 하더라도 셀 수 없고 또 가늠할 수 없을 정도일 테니까 말이다.

경찰이 마약을 공인하고 용인할 수는 없었다. 불법 사채업과 특수 폭력, 상해, 치사, 청부 살인까지.
그 덩어리가 길고 굵게, 더럽게 뻗어 있으나 결국 뭉텅이로 끌려 나온다면 전부 불살라야 할 종류였다. 당장 어디까지 토막을 쳐서 요리하느냐의 고민 정도는 경찰들에게도 주어지겠지만.

내부 정보를 빠삭하게 알고 있는 간부직의 영석이 직접 가서 손을 잡는다면 이후의 수사와 뒤처리가 훨씬 쉬워질 수도 있었다.

가장 가능성이 있는 복수의 방법이었다. 더 이상 그가 지켜야할 식구나 몸뚱이는 없는 상황이었다. 철저하게 버려진 입장이었고, 비령과는 관계가 없어진 죽었다 산 목숨이니 말이다.

만약 비령 그룹에 대한 복수심, 진형의 죽음에 대한 슬픔이나 여러가지 사연과 감정이 김영석이라는 이성적인 인간을 미치게 만들었다면, 드문 확률로 직접 비령 그룹으로 돌아가 결판을 내려 할수도 있을 테이긴 하다.
가장 성공 확률이 희박한 경우의 짓거리다. 무력적으로나 지략으로나 비령에 다시 쳐들어가 무엇을 해보겠다는 건 무모한 짓이다. 이전에 그의 기반이 남아 있던 때라면 그나마 승산이 있겠으나.

만수의 걱정 섞인 물음에 영석은 뒤를 돌아보지도 않고 구석에 쪼그려 앉아 핸드폰을 만지작거리던 폼으로 답했다.

"……할 일 하러 갑니다."

"그게 뭔데 이 새끼야."

만수의 거친 말투에도 영석은 달리 말로 반응이 없었다. 그가 움찔 몸을 떨었다. 어떤 심경의 변화라기보다는, 잘 들어가지 않던 유심칩을 핸드폰에 마저 다 넣고 다시 핸드폰을 자리에 두느라고 움직인 것이었다.

"……."

영석이 자리서 일어났다. 구겨진 옷을 매만졌다.

다시금 소파에 앉아 만수와 마주본다.

만수는 표정을 구겼고, 둘은 별다른 이야기 없이 차가운 매실 주스를 마셨다.

*

만수에게 말을 하지 않은 건, 딱히 그걸 설명시킬 재량이 영석 에게 부족했던 탓이었다.

영석은 자신이 비령 제약에 시체처럼 모셔졌고, 거기서 이상한 약물을 투입당한 뒤 초인이 되었다는 말을 꺼내기가 심히 어려웠 다.

잘못하면 만수에게 정신병자로 오인당하거나 어디 잡혀갈 수도 있는 정도의 개소리였다.

그 개소리의 백미는, 그것이 하나도 거짓 없이 그가 겪은 사실이라는 점이다.

신이 그의 인생을 두고 장난이라도 치고 있는 건가 싶었다.

만약 신이 장난을 즐기는 성격을 가졌다면 말이다.

뭐,

악의는 없지 않겠나. 만약 장난이라고 하더라도.

거지같은 상황 속에서도 차라리 웃고 넘어가라는 뜻으로 받아들이는 게 좋을지 모른다.

결국 그 장난의 결과로 자신은 상처 하나 남지 않고 이렇듯 멀쩡하니까 말이다.

만수를 통해서 당장 움직일 자금과 연락용 핸드폰, 이런저런 생필품들 따위를 찾은 그는 적당한 호텔을 찾아 서울 시내에 머물렀다.

적당한 시기를 보기 위함이었다.

차라리 미치광이라면 편할텐데, 정말로 초인이 되어버린 영석은 자신의 몸의 기능과 그 한계도 알았다.

총을 맞으면 움직이지 못한다. 당연한 일이었지만, 급소를 노려져서는 영 희망이 없었다. 그저 스치는 것이나 생명에 크게 지장이 없는 곳에 직격당하는 것으로는 전투가 속행 가능하다.

말이 안되는 수준의 여러 기능을 얻었고 빠르게 움직일 수 있다.

한 번에 수십 수백 명을 상대하는 건 피해야 할 일이었고, 침착하고 차근차근, 또 계획적으로 여럿을 없애 나가야만 했다.

비령 그룹은 다행히 그가 가장 잘 아는 대상이었다.

비령은 그들 속에 있던 자의 손에 의해서 무너질 것이다.

만수와 헤어지고 비령 그룹 계열사 어느 본사 건물이 빤히 바라다보이는 호텔 방을 잡은 영석은 창문으로 서울 시내의 전경을 바라보면서 저녁을 보냈다.

*

6. 떨어지다

"…어. 이제 가는 중이야."

최기욱은 덩치가 크다. 무투파라고 불러도 부족하지 않은 덩치와 솜씨를 지니고 있었고, 그 휘하의 부하들이 갖는 성질 역시 크게 다르지 않았다.

항쟁이 벌어진다면 최기욱 파는 가장 살벌하게 싸울 자들이었다. 그들에게는 언제나 충분한 양의 칼과 날붙이가 있었고, 그것들을 거침없이 휘두르며 상대에게 밀고 들어갈 배짱들이 있었다.

파벌의 분위기라는 건 아무래도 무리를 이끄는 리더에 의해서 결정되기 마련이다. 최기욱이 그런 자였고 그가 그런 분위기를 주도했으므로, 부하들도 자연스레 휩쓸린다.

한 두 번 그런 식으로 휩쓸려서 교전 따위를 벌이고 나면, 어엿한 최기욱 파의 일원이 되고 마는 것이다.

비령 금융은 제법 번듯한 본사 건물을 갖고 있었다. 여러 계열사들 중 그러지 않은 곳이 없기는 했지만.

제약이나 물산 등에 비하면 작은 빌딩이었지만 그래도 새로 지어진 지 얼마 되지 않은 곳이었고, 세련되게 만들어진 디자인이다. 현대적인 감각이었고, 본사 건물 앞에는 기하학적인 청동 조각상이 하나 놓여 있다. 건물 현관을 지나 계단을 내려 오면 주차장과 도로를 잇는 차도가 있었다.

최기욱은 건물에서 나와 제 큼지막한 손에 어울리지 않는 작은 핸드폰으로 이야기를 나누며 걷고 있었다.

검은 정장을 차려입은 거구의 보스 근처에는 늘 호위하는 인력이 따라붙었다. 비서겸 일하는 마른 사내 한 명이 있었고 늘상 동행하는 운전자는 차에 미리 타 있었다. 커다란 차에 최기욱이 편안하게 앉았고, 비서가 뒷자석 그 옆자리에 멀찌감치 앉는다. 덩치가 있는 호위조 한 명은 조수석에 앉고.

다른 차 한 대가 최기욱의 것을 따라간다. 둘 다 검은 승용차였는데, 따르는 것이 조금 더 작고 가격대 역시 싼 것이었다.

뒤따르는 차에는 인상이 험악한 장정들이 빼곡하게 앉았다. 운전자까지 해서 네 명이다. 운전자도 덩치가 좋고 눈빛이 날카로웠고, 여차하면 뭐라도 꺼내 들어서 덤벼들 수 있을 듯한 눈치였다.

조직 내 정쟁이 격화되고 있는 상황에서 보스가 혼자 움직이는 건 지양해야 할 일이었다. 최기욱은 늘 의전 차량처럼 자신을 보호하는 호위조 애들을 근처에 두고 다녔다. 심지어 용무를 마치고 집에 들어가서도 말이다.

서울 시내 어딘가에 번듯한 자택을 갖고 있는 놈이었고, 단독주택에 살고 있었다. 2층에서 보통 생활을 했고 1층은 이렇듯 위험한 상황이 되면 조직원들을 들여놓고 기거하게 했다. 생으로 바깥에 서서 망을 보게 하는 양반들도 있는 걸 생각하면 그래도 휘하의 놈들을 다루는 데 상냥한 구석이 있었다.

그가 거닐고 있는 지금은 한낮이었고, 다만 아직 집에 도착하기에는 시간이 멀었다.

최기욱은 근래 처리한 김영석을 비롯해서 비령 물산에 관한 문제의 사후 관리를 놓고 다른 파벌의 간부들과 길게 얘기를 하는 중이었다.

욕심이 많은 작자들이라, 자신들이 한 것은 없으면서도 마치 정당한 주인인 양 요구하는 꼴에 최기욱은 금새 지쳐버리고 말았다.

그래도 그 또한 마냥 호구는 아니었으므로, 손을 잡고 물산을 치기로 했던 비령 제약의 민형석과만 진지한 논의를 하고 나머지 작자들의 칭얼거리는 헛소리들은 대충 미뤄두는 식으로 일을 보고 있었다.

지금도 민형석과 이야기를 하던 중에 걸려온 전화 한 통이었고, 공업 쪽의 간부 하나가 자신들의 사장과 만나지 않겠냐는 둥 소리를 하기에 적당히 흘려 듣고 대답하던 중이다.

[…그러니까, 잠깐만 시간 내주실 수 있지 않습니까? 저희가 거국적으로 좋은 대화 나눠보려는 거고 입회 하에 시내 다른 식당에서 보자고 하는 건데….]

간사한 놈의 목소리가 얇다. 굳이 그런 음색 탓은 아니겠지만 최기욱은 이야기를 길게 듣고 싶지가 않았다. 파벌 간의 정쟁에서 자신의 세력이 그다지 크거나 강력한 편은 아니었기에, 대놓고 적을 만드는 일은 일단 지양하고 있었다.

아마 확실하게 상대 세력 중 하나를 이기고 빠르게 정리할 수 있는 정도의 수만 되었더라도, 꼴같잖게 구는 놈을 하나 짚어서 순식간에 박살내고 다음을 도모했을 텐데 말이다. 사람 일이라는 게

늘 그렇게 마음처럼 되지는 않는 것 같더라, 고 최기욱은 속으로
생각했다.

"…어. 알겠다고. 일단 너네 시간 되는대로 정리해서 불러라. 우
리 쪽 애가 알려줄 거야. 바쁘다. 다음에 상무급이 직접 전화 하라
고 그래."

공업 계열 쪽 간부 중에서는 막내 놈이 전화를 걸어 칭얼거리는
중이었다. 그 통에 짜증이 더욱 치밀었지만, 간신히 참은 그다. 그
는 적당히 말꼬리를 돌려 이야기를 끝내고, 핸드폰을 닫았다.

이미 그의 앞에 와 있는 검은색, 고급 세단의 문이 열려 있었다.
수행원들의 인도에 따라 그는 거구의 몸을 뒷자석에 실으며 인상
을 구겼다. 빌딩의 현관 지붕 사이로 새어 들어오는 햇빛이 그의
눈을 비췄던 탓이다.
왜 양산을 미리 준비하지 않았느냐고 화를 낼 생각은 없었다.
그는 조용히 차에 올라타고, 덩치 큰 호위조 식구 하나가 곱게 문
을 닫았다.

최기욱의 동행들이 모두 차에 올라탔고, 곧이어 중형 세단이 크
지 않은 엔진과 배기음을 내며 외형만큼이나 안정감있는 모습으로
굴러가기 시작했다.

*

"……."

이수영은 조직에 들어온지 그리 오래되지 않은 사내였다.

비령 그룹은 서울에서, 아니 한국에서 가장 거대한 범죄 조직의 다른 이름이었고, 몇 번의 운이 따라 이 조직에 들어올 수 있게 된 그는 자신이 나름대로 괜찮은 인생이라고 생각하기까지 했다.

밑바닥 인생, 될 대로 되라는 심정으로 양아치처럼 살다가 이런 곳까지 굴러 들어왔는데, 나름대로 거대한 조직의 말단으로 들어올 수 있었다니.

거기다 그가 배치된 최기욱네 패거리, 곧 비령 금융 쪽은 식구들 간의 분위기가 다른 곳보다는 덜 험악하고 또 보스의 심기 역시 일관된 구석이 있는 곳이었다.

크지 않은 돈이더라도 월급조로 받기도 하고, 또 칭찬받을 일을 하면 더 큰 돈을 받는다. 생각하고 각오했던 조직 생활보다는 아득히 나은 대우와 생활감에 그는 열심히 일을 했고, 그가 가장 잘할 수 있는 일은 여러 종류 중에서 운전이었다.

자신도 제대로 몰랐지만 의외로 운전에 재능이 있었던 젊은이는 최기욱의 전용 운전사로까지 자리가 옮겨졌다. 근 1, 2년간 최기욱의 고급 세단을 모는 일만을 해온 그였고, 싸움과는 다소 거리가 멀다고 느껴졌다.

최기욱을 직접 치러 오는 히트맨 따위가 여태 없었던 탓이다.

조직의 보스를 직접 상대하는 자리였지만 최기욱은 소문대로 그렇게 까탈스럽게 굴지 않았고, 말이나 지시도 그리 많지 않았다. 그저 편안하게 자신이 맡은 바 운전대를 잡은 뒤 안전한 운행만을 하면 된다.

이수영이 그렇게 자신의 삶에 대한 만족감을 누리고 있을 때였다.

쿵!

"어,"

이수영은 말을 하지 못했다. 그가 달리고 있는 곳은 한산한 도로 위였다. 한낮, 차가 그리 많이 다니지도 않는다. 주변에 상가 건물 따위가 있고 낮은 빌딩 여럿이 있었다. 인도를 다니는 사람은 별로 없고, 4차선 도로 위에 차나 오토바이 류가 지나 다닌다.

서울 시내 한 구석을 평범하게 달리던 검은 승용차의 위로 무언가가 떨어져 내렸나,

라고 생각한 순간 그는 이해되지 않는 연상 장면에 일순 사고가 멎어버리고 말았다.

……왜 유리창 앞에 사람이 있지?

이수영이 누군가를 친 것은 아니었다. 도리어 사람이 차를 덮쳤다고 하는 게 옳으리라.

그가 달리고 있는 시내의 어느 도로는 방향이 정해져 있는 곳이었다. 중앙의 가드레일을 박아서 넘지 않는 이상 긴 직진을 하게 되어 있었고, 얼마간 계속 그럴 예정이었다.

충격을 받은 고급 세단은 내부의 탄 탑승객들을 보호하면서 여전히 잘 굴러갔다. 갑자기 강렬한 충격을 받아서 본네트Bonnet가 구겨졌다. 운전석의 자리에서 바라보는 차의 앞유리는 살짝 금이간 것 외에는 멀쩡했다. 상당한 충격이었는데도 불구하고 말이다.

최기욱은 자신이 늘상 타고 다니는 세단의 유리를 방탄용으로 바꿔 두었다. 쉽게 깨지지는 않는다. 아무래도 외부 습격을 대비해야 할 일이 많은 요즘에는 더 적절한 선택이라고 느껴지는 옵션이었다.

"어어어어어어어."

최기욱은 멍청하게 뒷자석에서, 다른 곳을 보고 있다가 앞유리로 시선이 간 뒤에 비명처럼 신음을 길게 흘렸다. 괴성이라 부를만치 큰 소리는 아니었지만 복잡한 감정을 담고 있는 것이었다.

처음엔 그저 툭, 내뱉어진 단음이었지만 끊이지 않고 계속 이어지는 소리에는 당황, 의문, 놀람, 뭐 그런 단어들로 다 설명하기 어려운 여러 생각들이 섞여 있었다.

우선, 도로를 달리던 자신의 세단 앞 유리에 사람이 내려 앉은 것은 차치하고,

심지어 그것을 차치할 정도로 놀라운 건

얼마 전에 그가 직접 제사를 치러주다시피 했던 익숙한 얼굴이 거기에 있던 탓이다.

달리고 있는 고급 승용차의 보닛 위, 유리창에 제 얼굴을 바짝 대고 김영석이 씨익 웃었다.

*

"으아아아아아아!"

안에서 곧 비명이 터져 나왔다. 김영석은 그다지 상관하지 않았다. 도리어 비명을 토해내지 않았다면 조금 실망을 했을 것도 같다.

그가 한 일은 별다른 게 아니었다. 지금부터 할 일도 그러했고.

그는 손아귀에 너클을 끼고 있었다. 모양이 조금 특이했다. 너클 파트에 적당히 고정을 하고 휘두르는 물건인데, 그 끝에는 단단한 보석이 갈려서 박혀 있었다. 쇳덩이에 공업용 다이아몬드를 붙여 만든 물건이다.

버스나 지하철 등 대중 교통을 이용하면 있는 손망치의 그 끄트머리처럼 제작된 것이었고, 그런 용도로 쓰려고 영석이 갖고 있었다.

무식한 짓거리를 할 때 쓰려고 만든 것이고, 실제로 쓴 적은 없었다. 몰래 비령 물산 본사 건물에 가서 이것저것 뒤져서 챙겨 왔다.

무슨 일을 하려고 한다면 아무래도 장비가 가장 중요한 법이었다.

너클은 이론상 강력한 힘으로 내려 친다면 방탄 유리도 깰 수 있었다. 그만한 힘을 사람의 팔과 어깨, 손 끝으로 발휘할 수 있는가는 다른 문제였지만.

보통은 적당히 사람의 안면을 가격하는 데만 쓰이고 말았으리라. 약간의 농담같은 취미가 포함된 제작 물품이었는데 이럴 때 요긴하게 쓰일 줄은 그도 몰랐다.

직선 거리의 길목에 들어서는 최기욱의 뒤를 김영석이 쫓고 있었다. 한참, 며칠을 비령 금융의 본사 건물이 보이는 위치의 호텔에서 기거하면서 최기욱의 동선을 파악한 그는 그가 움직이는 시간에 따라 오늘 그 뒤를 미행했다.

어느 정도 가는 길목이 정해졌다 싶었을 때 곧장 택시를 타고 앞질러 여유로운 거리 즈음에 내렸다. 그대로 어느 낡은 상가 건물들의 틈새로 들어가, 마치 스파이더맨이라도 된 양 기분을 내며 그 옥상으로 올라갔다.

단순히 건물 내부 계단을 이용하면 되지 않을까 싶긴 한데, 대개 건물들은 주인들이 사고 방지를 위해 옥상 부근을 막아두는 경우가 잦았기에 선택한 일이었다. 또 외벽에 짚고 올라갈 만한 요철이 많이 보였다는 이유도 있었다.

가깝게 붙어 있는 두 상가 건물의 벽면을 이리저리 번갈아 뛰며, 메뚜기처럼 그 옥상까지 이르는 데 오래 걸리지 않았다.
실제로 운동을 수행하면서 김영석은 자신의 능력에 계속해서 감탄을 할 수 밖에 없었다. 이론상, 머리로 확실히 알고는 있었지만 분명 인간의 일반적인 능력과 상리에서는 벗어나 있었다.

생각대로 되는 실재에는 쾌감이 따랐다. 동선의 계획자이며 실행자인 그에게는 그것이 두 배였고.

타이머로 재면 이십 초가 채 걸리지 않는 시간에 여유롭게 옥상 위에 다다른 그다.

누구 하나 눈 여겨 보는 곳 없는 좁은 골목에서 일어난 일이었고, 심지어 본다고 하더라도 영석은 크게 관계가 없었다. 애초에 지금 하려는 일들 모두 말이 안 되는 일이다. 누가 흐린 시선으로 목격해서 어딘가에 전한다고 해도 그 자가 정신 이상자로 몰릴만한 광경들이다.

그리고 뭐,

조폭들 상대로 다소 소란좀 피운다고 그를 잡기 위해서 공권력이 동원되기야 하겠는가. 소란이 커질수록 불리해지는 건 거대한 덩치와 그보다 더 큰 비리를 품은 비령 그룹이라는 집단이었다.

미리 앞질러 도로의 앞에서 타이밍을 재던 그에게 눈에 익은 검은 세단이 다가왔다.

타이밍을 잡았고, 그는 다가오는 방향에서 2차선 도로를 달리는 검은 세단이 가드레일 쪽으로 붙어, 즉 멀리 떨어져 있다는 걸 깨달았다. 그 사이에 인도의 폭과 1차선 차도 만큼의 폭이 놓여 있었지만, 부담스럽지 않은 거리였다.

말했듯 그는 지금 올림픽의 기초 체육 종목들은 모조리 그 기록을 갈아치우고도 남는 수준의 체력이 있었다.

가뿐하게, 적당한 타이밍을 잡아서,

또 더욱이 좋아진 눈을 사용해 완벽한 거리감으로 착지한 그는 너클을 끼고 운전석 내부를 향해서 무섭게 웃었다.

김영석으로서는 경쾌한 웃음이었지만, 보는 입장에서는 정반대의 충격이다.

＊

쾅!

하고 찍는 소리와 함께 방탄 유리에 금이 갔다. 가장 무서운 점은 그 소리가 연달아 들리는 것이다.

쾅, 쾅! 쾅, 쾅! 일정한 박자에 따라 연주라도 하는 것처럼 운행 중인 세단 위의 김영석은 계속해서 너클로 앞유리를 때렸다. 망치로 갈기는 것과 같은 묵직한 소리가 났고, 방탄 유리 중에서도 두터운 재질로 만들어둔 앞유리에 금이 갔다.

아니, 금이 가는 정도가 아니었다. 한 번 한 번의 휘두름에 여러 방향의 실금이 확 갔고, 똑같은 자리를 정확하게 연달아서 치고 나자 그 위를 다른 금들이 덮었다. 몇 번 반복되자 금들이 굵어졌고 통합되면서 그대로 가루가 날렸다. 안쪽에서 말이다.

"으어어어."

이수영은 핸들을 쥔 채 가드레일이나 인도를 향해서 틀어버리지 않은 자신을 계속해서 칭찬해야만 했다. 그 외에는 할 수 있는 게 없었다. 자신의 얼굴 쪽으로 날리는 방탄 유리의 가루가 미치도록 미칠 것 같았다.

그 보좌석에 앉은 호준, 이라는 이름의 거대한 덩치도 안색이 창백해졌다. 말도 안 되는 일이었는데, 눈앞에 벌어지는 것이 잘 이해가 가지 않는다. 그렇잖아도 둔한 머리는 사고를 정지시켰다. 운전석에 있는 이수영과 같이 어버버버, 뜬소리를 뱉는 것이 할 수 있는 일의 전부였다.

최기욱과 그 옆에 앉은 보좌간 중에 누가 더 이성적인가.

보좌관의 머리가 잘 돌아갔다. 그 잘 돌아가는 머리로 현황에 대해 파악했고, 꿈이라고 결론내렸다. 최기욱은 담력이 좀 있었다. 설령 김영석이 살아 돌아와서 자신의 세단 위를 습격했다고 하더라도 조금 쯤은 버틸 담대함이,

"으아아아아아아!"

조금도 없었다. 농담이 아니었다. 미친놈이 유령도 아니고 살아 움직이는 실체로 자신의 세단을 박살내고 있었다. 여기는 서울 XX동 가로수길 근처 차도 위였다. 씨팔, 차도 위라는 말이다. 최기욱은 방황하는 머릿속에서 욕지기를 뱉어냈다.
그것을 음성으로 토해낼 여유도 없었고, 그의 놀람을 받아줄만한

침착한 자가 차 안에는 아무도 없었다.

세단의 뒤를 따르고 있는 보다 작은 승용차에서는 앞의 일이 제대로 보이지 않았다.

뭔가 쿵, 하는 소리와 함께 그 앞에 움직이는 듯한 검은 형체는 보았다. 그 뒤로 승용차에 정확히 어떤 이상과 사건이 일어났는지 파악할 길이 없다. 얌전하게 따라가는 뒤쪽 차량의 내부와, 앞 쪽의 내부는 분위기가 완전히 달랐다.

패닉에 빠진 상황에서도 세단은 아이러니하게 안정적으로 굴렀다.

잘 만든 차였다, 비싼 차였고. 본넷이 구겨졌음에도 엔진 쪽까지 치명적인 충격이 가진 않은 모양이다. 앞면이 아니라 뒷면에서 세단을 본다면 별 이상이 없었다.

영석은 그들의 패닉을 돌귀줄 생각이었다. 쿵! 하고 기세 좋게 앞유리를 찍었다. 몇 번 더 하면 될 것 같다. 그의 좋은 머리에는 지식이 부족한 부분들이 있었는데, 그의 몸이 변하면서 다른 기현상과 함께 생겨난 능력인지 물리적 변화에 대한 감각이 탁월해졌다. 이를테면,
지금 찍어대고 있는 유리가 몇 번 정도 더 쳐야 확실하게 부서질 지에 대한 감같은 것 말이다.

쾅, 쿵, 쿵! 딱 세 번이었다. 마지막에는 조금 더 힘을 주었다. 의외로 달리는 세단 위는 자세 잡기가 편했다. 앞으로 달리면서 반대 방향으로 바람이 불고 있기도 했고, 그 반작용 속에서 정확한

자세로 버티어 이리저리 튀어나온 요철을 잡고 있자니 힘을 줄 수가 있었다.

똑같은 타격 자세로 등허리를 뒤틀어 오른 팔을 당겼다가, 일순간의 임팩트에 집중하면서 너클 파트의 송곳 부분을 부서지는 부분에 가져다 박는다.

쿵, 하는 마지막 소리와 함께 힘없이 방탄 유리의 중앙부가 터져 나가는 소리가 겹쳐 이어졌다.

쑥, 하고 운전석 쪽으로 영석의 손이 들어갔다. 그는 멈춰 있는 폐차의 유리를 철거하는 정비공처럼, 침착하고 대수롭지 않은 손길로 그 잔 유리들을 떨어내며 구멍을 넓혀갔다. 으아아아, 하면서 멍청한 표정으로 발악하는 운전사는 맛이 간 모양이었다.

사명 의식인지 몸이 굳은 건지, 직진 주행에 일정 속도를 유지하고 있는 것이 용하다. 그대로 차로 어딘가를 들이 박는다면 그로서도 조금 위험하기는 하다. 정확히 멈춰 있는 시설물과 세단의 사이에 끼였을 때 말이다.

아마 끼진 않을 것이다. 그 사이에 시간이 있을 테고, 그 정도면 영석이 충분히 자세를 바꿔 다른 곳으로 튀어 나갈 여유가 있었다. 지금 이대로 차가 스턴트 차량처럼 전복된다면 살아날 가능성이 가장 높은 건 영석이었다.

영석은 여유롭고 또 침착하게 유리의 남은 부분들을 거덜냈다. 몇 초 정도 정리하자 자신의 몸이 충분히 들어갈 구멍이 되었다고 생각했고, 그대로 한 쪽 어깨를 먼저 해서 상체를 쑥 집어 넣는다.

괴물이 도시의 성벽을 뚫고 자신한테 다가오는 장면을 리얼하게 연출한다고 해도, 이것보다 무섭지는 않을 것이다. 이 순간 내부의 인원들에게 영석은 괴물보다 충분히 무서운 존재였다. 웃고 있는 평범한 한국인 사내라는 점이 이질감을 더욱 돋궜다. 영석은 계속 웃는 낯이었다. 지독하게 화가 났으므로, 그 반대급부의 표정이 나오는 것이었다.

사람은 어떤 감정의 극단을 가끔 그 정반대의 감정 표현으로 해소하기도 한다. 감정이라는 것도 균형이 있어서, 너무 한 쪽에 치우치다 보면 본능적인 자정작용이 일어나는 것이었다.

지나친 비통에 빠진 사람은, 때로 웃기도 한다. 그렇지 않으면 버티지 못한다는 걸 스스로 아는 것이다.

"으아아아……."

괴물을 보듯한 얼굴로 조수석에 앉은 놈이 제 품을 더듬거렸다. 무언가 무기를 꺼내들 것도 같은 움직임인데, 제 뜻대로 안되는 모양이다. 영석은 쑥, 집어넣은 팔과 함께 상체를 더 구겨 넣는다. 부서진 방탄 유리가 더 넓은 구멍을 만들어내며 가루를 흩날렸다.

이수영의 입장에서는, 이제 앞이 잘 보이지 않았다. 걱정할 것 없었다. 도로는 한산하고 다행히 속도도 준수하고 있다. 놀라운 운전 감각이다. 영석은 먼저 그대로 상체를 전부 집어 넣어 조수석에 앉은 덩치의 목을 꺾었다.

두둑, 하고 잘못된 각도로 뒤틀린다. 별다른 자세와 균형을 잡지 않고, 불안정한 꼴에서 상체 힘만으로 사람 하나를 절명시켰다.

제 품 안에서 권총을 꺼내들려고 했던 호준은 순식간에 눈빛에 빛을 잃었다. 그 모습에 운전대를 쥐고 있던 이수영이 벌벌벌 떨었다. 운전자는 가장 마지막에 잡아야 하는 인간이었다, 불쑥, 영석은 그대로 점프를 하듯 뒷자석 쪽으로 제 몸을 깊이 넣어 뛰었다. 본넷 위를 그의 발이 강하게 박찼고, 그가 뒷자석으로 순식간에 이동했다.

달리는 차 안에서 과한 민폐였다. 이수영은 두 손을 떨면서 흔들었고 그 탓에 차게 불안정하게 움직였다. 그들이 달리고 있는 근거리 수십 미터 안쪽에 다른 차량이 없는 것이 다행이다. 영석은 많은 시간을 쓸 필요가 없다고 생각했다.

"씨발, 씨바아아아아아알!"

최기욱은 곧 죽을 사람처럼 비명을 질러대며 호준과 마찬가지로 자신의 품 속으로 손을 가져갔다. 에어컨이 켜져 있던 차량의 실내에 구멍이 뚫렸고, 덕분에 공기가 후덥지근했다.
땀이 나고 불편하다는 사실조차 잊을 정도로 최기욱은 정신이 없었다. 그저 반사적으로, 악몽 속에서라도 그렇게 했으리라는 것처럼 품에 들고 다니던 호신용 리볼버를 꺼내들려 할 뿐이었다.

거구가 뒷자석에 끼어 팔을 움직이는 것보다, 영석이 다이빙을 하듯 안 쪽으로 파고들어 그 손으로 기욱의 목을 쥐는 것이 더 빨랐다. 영석은 아예 하체까지 다 들어왔고, 나름대로 운전자를 방해하지 않으려는 듯 조수석 쪽으로 몸을 기울여 고정했다. 고급 중형 세단이라고 하더라도 번잡한 움직임을 하기에 실내는 과히 좁았다.

세단의 천장에 뒤통수를 박으면서 영석은 호준의 몸 위로 넘어가 조수석 뒤쪽에 앉은 기욱의 목과, 다른 손으로는 뭔가 꺼내려고 시도하는 그의 오른팔목을 쥐고 놓아주지 않았다. "끅." 멍청한 최후였다. 이렇다 할 발악조차 하지 못하고 있었으니까. 비령 금융의 사장이 눈 앞에서 암살을 당하고 있는 꼴을, 그 옆에 앉은 비서는 황망한 눈으로 쳐다보고 있었다. 그가 갖고 있는 무기가 별다른 것이 없었다. 호신용으로 품에 넣었던 단도, 정도가 있기는 하지만 그것이 쓸만하다고 느껴지지는 않는다. 그는 애초에 엘리트로서 금융사에 고용된 사원이었고, 멀쩡한 커리어를 갖고 있었다.

그러나 멀쩡한 커리어에 비해 올바른 선택을 하지는 못했고, 비령 그룹 안에 들어와서 이런 꼴을 결국 목격하고 있는 것이었다. 최기욱의 두터운 목을 한 손으로 잡으며 그 손가락 끝과 끝으로 정확히 경동맥을 압박했다. 한 손의 악력으로 그렇게 할 수 있다는 게 믿어지지 않지만, 영석은 지금 스스로도 잘 이해 불가능한 수준의 괴력과 다양한 신체 능력을 갖고 있었다.

그 정도만으로도 충분하다.

그륵, 거리면서 숨이 막히는 듯한 소리를 내던 기욱의 눈이 뒤집히고 그가 정신을 완전히 잃기 까지 그리 오랜 시간이 걸리지 않았다. 추욱, 하고 그가 품 속을 황급히 뒤지던 손에 힘이 빠져 늘어졌다. 십 초가 채 걸리지 않았고, 영석은 그대로 양 손을 기욱의 목덜미로 가져가서, 목 뼈의 관절 구조를 이해하면서 꺾었다.

어딘지 아득하게 들리는,

끔찍한 소리와 함께 기욱이 세상을 떠났다.

영석은 그대로 손을 빼며 운전석 쪽으로 다시 돌아왔다. 앞좌석에서 부들거리면서 그를 제대로 보지도 못하는 운전자의 꼴이 안쓰럽다만, 뭐 어쩔 수 없었다.

비령 그룹은 그의 손에 의해서 이렇게 천천히, 하나하나 끝날 것이다.

그에게는 일반적인 상식과 상상을 넘는 방법들이 있었다. 상대의 허점을 찌른다면, 거대한 체급의 차이는 생각보다 어려운 문제가 아닐 지도 모른다.

영석은 지독한 화를 삭히면서, 그대로 아크로바틱이나 혹은 묘기 따위를 하듯 턱, 부서진 차의 앞유리를 통해 다시 본넷 쪽으로 나갔다. 원래는 앞유리가 붙어 있었을 차창의 테두리를 손으로 짚는 소리였다.

테두리를 쥐며 휙, 단숨에 제 몸을 빼냈다. 그 과정에서 방탄 유리의 부스러기 따위가 차 내외부로 날린다.

그렇게 묘기를 부리는 것이 엄연히, 달리고 있는 차에서의 일이었다.

이 상황에서 김영석을 제외하고 가장 놀라운 모습을 보여주는 작자를 꼽으라면 단연 이수영일 것이다. 그는 정신이 나갈듯한 상황과 감정의 소용돌이 속에 있으면서도 차를 어딘가에 들이받지 않고 있었으니까.

다시 처음에 차에 내려 섰을 때처럼 본넷 위에 몸을 붙인 영석은 다음 순간 더 놀라운 짓거리를 저질렀다.

가드레일 너머로 반대쪽 2차선 도로를 바라보던 그다.

바람을 뒤로 받으면서 밀려 떨어지지 않게 잠깐 자세를 잡더니, 그대로 일어나서 순식간에 몸을 날렸다. 마찬가지로 근방에 다니고 있는 차가 마침 없는 타이밍이 있어 벌인 일이다.

쿵, 하고 찌그러진 검은 본넷에 다시 한 번 발자국을 남기며 그가 날았다.

이수영이나 뒤에 앉은 금융사의 사장 비서, 최호섭은 그 모습을 제대로 보지도 못했다.

김영석은 그대로 날듯이 뛰었고, 도움 닫기도 없이 수 미터 이상을 넉넉하게 날아 차도가 아닌 인도 쪽에 떨어져 데구르르, 구르며 낙법을 취했다.

영화를 찍는 사람들이 보더라도 비웃지 않을까 싶은 무식한 스턴트 행위였지만, 그러고 나서 영석은 놀랍게도 툭툭, 옷가지를 털며 일어서서 반대편 골목 어귀로 사라져버렸다.

"……."

끼이이이이이, 쾅!

이수영은 마침내 평정심을 잃어버린 듯 핸들을 제어하지 못했고, 조금씩 앞바퀴가 틀어지더니 마침내 방향이 확 꺾이면서 가드레일

쪽으로 들이박고 차가 멈추었다.

가드레일에 길게 마찰을 일으키며 낸 사고라 이수영이나 최호섭은 생각보다 큰 부상이 없이 끝났다. 덩치를 자랑하던 호위 인력과, 최기욱만이 누군가의 손에 의해 목숨을 잃었다.

경찰이 와서 조사를 하더라도 괴상한 표정을 지으며 고개를 저을 정도로, 기이한 흔적을 남긴 사건 현장만이 도로 위에 덩그러니 남았다.

*

7. 민형석

"……뭐?"

민형석은 모든 일이 잘 풀리고 있다고 생각하던 사람 중 하나였다.

그는 비령 제약의 오너였고, 제약사는 제법 큰 규모에 매출도 두둑했으며, 가외적인 수익을 따진다면 남들이 평생 구경하기 힘든 수준의 돈을 다달이 쌓을 수 있었으니까 말이다.

그것들은 고스란히 민형석의 비자금이 되었고, 그는 이 비령 그룹에 오래 있을 생각이 없었다. 꿈이 작다고 해도 전혀 상관이 없었다. 검은 돈을 만지고, 속 시커먼 놈들과 늘 대화를 해야 하는 조직에서의 생활은 그리 평온한 것이 아니었다.

어느 정도 오너의 자리에서 비령 그룹이 커나가는 것을 보다가, 비자금이 일정 규모 이상 쌓이고 또 달아날 때가 눈에 보이면 주저 없이 버리고 도망가리라, 고 늘 생각을 하는 것이 그다.
생각보다 주도면밀한 계획과 함께 생각하는 것이었으므로, 구체적으로 보자면 5년 정도 후에 그렇게 할 생각이었다.

그러기 위해서 가장 중요한 선결 과제는 그 구렁텅이 같은 조직 내 정쟁 속에서 살아남는 것이었는데, 민형석 자신의 머리가 그리 나쁘지는 않았는지 괜찮아 보이는 페이스였다.

우선 가장 견제가 되고 위험스럽던 비령 물산 쪽 간부들을 모조리 치워버리는 것이 시작이었고, 마지막으로 남았던 김영석 역시 깔끔하게 처리한 것이 아주 깔끔했다.

비령 물산 쪽은 조직 내 항쟁이 격화되려 할 때 별로 목소리를 내지 않고 있던 쪽이었으나, 그 휘하 조직원들을 생각해보면 만만 찮은 수와 싸움 실력들을 갖고 있었고, 또 김영석과 목진형을 필두로 하는 간부진들의 기세 역시 만만찮았다.

정면으로 붙게 된다면 어느 계파이든 틀림없이 큰 피를 볼 수밖에 없는 집단이었는데, 우선 하나라도 무너뜨려놓고 시작하자는 그들간의 합의가 성공적이었다.

조직 내의 팀플레이에는 그다지 관심이 없었던 목진형을 비롯해, 물산 쪽의 임원진, 간부들은 하나하나 처리가 되었다.

조금이라도 조직원들과 떨어진다거나, 빈틈이 보이는 동선이 생긴다면 곧바로 으슥한 곳으로 끌고 들어가 순식간에 끝내는 식이었다. 물산을 제외한 다른 여러 계파들이 모조리 손을 잡았기에 가능한 짓거리다. 막대한 인력은 때론 어떤 첨단 기기보다 더 나은 실력을 발휘할 때가 있는 법이었으니까.

교대로 돌아가면서 목표물의 24시간을 계속해서 감시하고 있다면, 결국 그 동선에 빈틈이 드러날 수 밖에 없는 것이다. 한 명 한 명씩, 혹은 동시에 여러 장소에서 한 번에. 그들의 계획은 안정적이었고 마침내 가장 경계가 되던 김영석 역시 처치를 했다.

놈은 꼬리가 잘 잡히지 않게 서울 시내를 요리조리 잘 도망다녔는데, 결국 혼자서는 살아날 가망이 없다는 걸 깨달았는지 비령 금융의 최기욱에게 전화를 걸었을 때 덜미가 잡힌 것이다.

김영석이 최기욱과 연락을 했을 때 이미 민형석은 그와 공고한 관계를 다져놓은 다음이었다. 영석이 최기욱을 쓸만한 파트너라고 생각했듯이, 민형석 역시 그런 것이다. 다만 비령 물산 쪽은 다른 계열 조직원들의 파상적인 공세에 밀려 먼저 계획을 짤 시간을 놓치고 말았다.

수세에 밀려 시간을 잃은 김영석은 결국 뒤늦게 최기욱과 파트너쉽을 맺고자 했고, 민형석은 한 발 앞서 연락이 닿은 김영석을 잡아 넣고자 했다.

잘도 도망 다니던 놈이 제 발로 그들의 아가리 속으로 들어왔고, 약속 장소에 비령 제약사 계열의 조직원들 수십여 명이 몰려가 비령 물산의 대가리를 성공적으로 끝냈다.

김영석과 목진형의 두 콤비는 비령 그룹 내에서도 나름대로 유명한 것이었다. 별다른 비리나 협잡질이 아니라 실력만으로 그 자리까지 올랐다는 게, 비슷한 직급과 연차를 지닌 간부들 사이에서는 늘 화제였으니 말이다.
어차피 더러운 짓거리를 일삼는 조직 폭력배의 생활에서 실력으로 어딘가에 올랐다는 게 말이 되지 않을 수도 있겠지만, 더러움 속에도 경중은 늘 있는 법이었다.

영석과 진형은 나름대로 재주가 좋은 놈들이다. 대가 쎄고, 기세가 좋았고, 머리가 잘 돌아가고, 감각이 좋았다. 저들이 다리 뻗고 누울 곳과 도망가야할 때를 잘 구분했고, 두 사람과 그들을 따르는 공격조의 실력으로 열세인 싸움을 이긴 적이 아주 많았다.

김영석은 잔머리가 좋아서 잡고자 해도 쉽게 잡히지 않으리라는 평이 많았고 실제로 그러했다. 비령 조직이 그룹이 될 때까지 무수한 싸움과 사연과 질고가 있었다. 죽은 놈들은 아주 많았고, 조직 폭력배 간의 상해는 거의 일상적인 것이라 할 수 있었다.

외부 조직과의 영역 싸움은 그들에게 있어서 매일 있는 일이었고, 내부에서의 입장 정리도 간간히 있어 왔다. 그 숱한 전쟁통에서 영석과 진형의 조組는 한 번도 진 적이 없었다.

단순히 싸움 실력이 좋다, 짱구가 잘 굴러간다, 뭐 그런 말로 설명하기 어려운 것이었다. 거의 불가능해 보이는 일을 현실에서 해내는 사람들은, 그 근처 인간들에게 은근한 경외의 대상이 되게 마련이었다.

기세 싸움이 실력보다도 때로 더 중요한 뒷세계에서 대놓고 그들에게 그런 감정을 표현하는 자들은 없었지만, 알 놈들은 다 알았다.

본격적인 비령 그룹 내의 파벌 정리가 시작되면 가장 주의해야 할 대상은 물산 쪽이라는 것 말이다.

어쨌건 김영석은 시체가 되었다.

비령 제약 쪽의 도움으로 어느 낡은 상가 건물에서 반 시체로 끌려 나왔고, 제약사 건물 본사의 연구동에서 독극물의 임상 실험체가 되었다.

-거기까지가 민형석이 들은 정보였다.

이후의 이야기는 아직 그도 최신화된 걸 듣지 못했다.

연구동에서 기절했던 세 명의 남녀는 한참 후에 깨어났다. 정신을 잃고, 다시 일어난 뒤 자신들이 본 것이 과연 무엇이었는지 고민했고, 오더를 내렸던 연구부장에게 사실을 전달하기 꺼려했다.

그 과정에서 시간이 소요되었고, 당연히 죽은 줄 알았던 놈에 대한 이야기를 부장이 물은 건 며칠이 지난 뒤였다.

한참이나 망설이던 세 명은 영석에 대한 기이한 이야기를 부장에게 전달했다.

그 과정에서 민준과 스티브는 퇴사하기에 이른다. 애초에 나가고 싶었던 것을, 누가 등을 떠밀어준 것이나 다름 없었다.
민준과 스티브는 그렇잖아도 꺼림칙한 일에 이런 기이한 현상이 뒤따르고, 연구동의 밀실에서 갑자기 기절을 했던 일이 마치 하면 안되는 짓에 대한 경고처럼 느껴졌다.

보다 안전한 삶을 위해서 그들은 비령 제약을 떠났다. 물론 그 과정이 온전히 평탄하지는 않았지만, 제 발로 걸어 나가겠다는 퇴사자들을 막을 만한 마땅한 이유도 없었다. 무력으로 그들을 제압하고, 납치하고 감금하지 않는 이상은 말이다.

비령 제약은 물론 그럴 수 있는 집단이었고, 그럴 시설이나 인력 또한 있었지만 부장은 둘을 잡진 않았다. 으름장을 놓으며 내부에서 있었던 일을 누군가에게 밝히지 말라고 언질을 주기는 했다. 실제로 제약사 내부에서 있던 비밀스런 범죄들이 밝혀진다면 그들을 가장 먼저 추궁할 것이기도 했고.

스티브와 민준은 더 이상 비령과 얽히고 싶지 않았고, 잊고 싶었던 기억이었기에 쉽게 수긍한다.

세정을 비롯해서, 세 명은 각기 다른 길을 가며 갈라서게 되었지만 그 전까지 부장의 물음에 최대한 성실하게 답변해야 했다.

부장, 오시마 사토루는 그들의 대답이 나름대로 일정하고 신뢰성이 있다고 파악했지만, 연구동 내부에서 엘리트 연구원 셋이 단체로 마약이라도 한 게 아닌가 하는 의심을 품을 수 밖에 없었다.

마땅히 상부에 결과 보고를 할만한 이야기가 아니었고, 그 덕에 다시 민형석의 귀에 김영석의 마지막에 대한 정보가 들어가는 게 늦어졌다.

오시마의 고민이 김영석의 입장에서는 보다 시간을 벌어준 셈이었다. 그리고 그 여유 시간은 안타깝게도 최기욱을 보내고, 영석이 형석을 찾기까지 충분한 기간이었다.

"……."

민형석은 막다른 골목에 서 있었다.

그가 위험스럽게, 인적이 드문 그런 장소에 혼자 서 있는 건 다른 이유는 아니었다. 그 자리는 그의 집 근처였고, 또 서울 시내이기도 했다.

그가 조금의 소리라도 내면 곧바로 담 너머 경비를 서고 있는 조직원들이 그를 향해서 달려올 테였다.

형석은 아무렇지 않게 담배를 태우고 있었고, 집 담벼락 옆의 골목길에서 핸드폰 하나를 들고 넥타이를 풀어해친 꼴이었다. 집에 들어온 지 얼마 되지 않았다. 2층 가정집 내부에는 그의 부인이 있었고, 아직 아이를 갖지 못한 젊은 부인은 까탈스러운 구석이 있었다.

형석이 집안에서 자유롭지 않은 건 아니었지만, 최근 많은 시도를 하고 있음에도 어쩐지 아이를 갖지 못하는 여성의 스트레스는 깨나 심했다. 둘 사이의 어떤 건강상 이유가 있지도 않았는데도 그런 것이다.
형석과 그녀의 부인 경연수는 자녀 계획 때문에 나름의 마음고생을 하고 있었다.

제약사를 비롯해서 하루 일과를 마치고, 모든 일이 잘 풀린다고 생각하며 집안에 들어온 그였다. 잠시 외투만 벗어두고 걸려온 전화에, 담배나 태우러 주택의 현관을 나서 옆 골목으로 들어왔다.

멀리 밤거리가 보였고, 어둔 골목 가운데 별빛만이 그를 비추고 있다. 경호를 서는 놈들이 정문에 서 있다가 따라오고자 인기척을 냈지만 대충 손사레를 치며 말린 그였고, 거리로 친다면 고작 십수 미터 정도 떨어진 자리이리라. 잠깐 사각에 들어섰을 뿐이다.

골목은 좌, 우로 길고 좁게 뻗어 있었고 형석의 시점에서 오른편은 그의 주택의 담벼락을 따라 정문이 있는 곳이었다. 그 길목으로 들어서는 자들은 자연스럽게 민형석의 신변을 지키는 호위조의 눈총을 받게 되리라.

왼쪽은 주택가를 벗어나 시내 쪽에서 들어오는 길이었는데, 가로 등과 CCTV가 그 쪽 입구에 있었다. 형석은 괜스레 그 쪽을 슬쩍 바라보고, 먼 입구에 아무런 인기척이 없는 걸 확인했었다.

태우고 있는 연초의 끄트머리에서 연기가 피어오른다. 그는 전화를 받고 있었다. 집 안에서 담배를 피우는 걸 싫어하는 데다가, 최근 그다지 기분도 좋지 않은 듯한 와이프의 등살에 밀려 바깥에서 통화를 하던 참이다.

뭐, 라고 물은 핸드폰 건너편의 대상은 비령 제약 본사에서 연구부장을 맡고 있는 한 사원이었다. 40대의 남성, 한국말이 능숙한 한일 혼혈의 중년 사내 오시마는 아주 깨름칙한 말투로 자기가 해야 할 말을 전달했다.

스스로도 제대로 이해되지 않는 사실을 상급자에게 전하는 일은 부하로서 아주 부담스러운 짓거리였다.
그 보고에 상급자가 어떤 반응을 할 지 예측이 되지도 않을 뿐더러, 그 다음 대답이 막혀 있는 대화를 시도한다는 게 얼마나 답답스러운 일인가. 상관의 성격에 따라서 공포스러운 순간이 될 수도 있었다.

오시마가 담력이 약하다거나, 쉽게 무서움을 느끼는 사내는 아니었고 민형석 역시 수석 연구원을 기분이 나쁘다는 이유로 묻어버릴만치 뒤가 없는 인간은 아니었다.
그럼에도 오시마는 기분이 별로 좋지 않았다. 과학자로서, 자신이 이해하지 못할 말을 누군가에게 전달하고 있다는 바로 그 사실

때문이었다.

[……그 들어온 남자 있지 않습니까. 30대 중반의 한국인. 연구
동으로 옮겨 놓으신다고 하셨던 사람이요. 말씀하신 대로 아직 실
험 단계에 있는 약물을 연구원들 시켜서 새벽 간에 투여했다고 보
고 받았습니다.]
"어, 그런데."

민형석은 오시마가 하고 있는 말을 차분히 되새겼다. 그러니까,
뭐라는 거야, 이 새끼는 지금.
안경을 쓰고 있고, 최기욱에 비한다면 말라 보이기까지 하는 체
격이다. 깔끔하게 검은 머리를 뒤로 넘겨 이마를 드러냈다. 샤프해
보이는 화이트 칼라의 인상으로도 보인다. 다만 금색의 안경테 너
머의 눈빛이 조금 날카로운 구석이 있어서, 만만해 보이는 사내는
아니었다.

키는 평균보다 조금 컸고, 와이셔츠에 청회색 정장 바지를 입고
있었다. 벨트의 버클은 명품의 로고가 박힌 것이었다. 그는 더운
여름 날, 에어컨도 없는 집 앞 골목에서 담배를 태우는 궁상맞은
가장처럼 보인다. 와이셔츠의 소매는 걷어 팔꿈치가 다 드러나 보
인다.

한 모금 빨았던 담배가 속절없이 타들어가고 있는데, 그는 그걸
다시 머금을 생각을 못한 채 통화에 집중했다.

[…투여한 약물은 Fa-1123이라고, Zaice사 측에서 선임 연구원
인 닐 바이스가 진행하던 프로젝트에 속한 물건이었습니다.]
"……."

전문적인 이름이 나오자 형석은 입을 다물었다. 심기가 불편하다는 뜻이었고, 오시마는 그의 낌새를 살피면서 말을 빠르게 뱉었다.

[저희 쪽에서 사람을 대서 가장 많은 사망자가 나왔던 약물입니다. 단시간에 효과를 보는 것 중 하나였고요. 1시간 여 내에 격통을 느끼면서 내장 손상으로 심정지에 이르게 됩니다. 반입된 피험체에 당일 밤 12시 경 투약한 것으로 보입니다.

그리고… 이후 보고가 새롭게 들어왔는데 당시 투약했던 연구원 스티브의 말에 따르면.]

"…따르면."

[……피험자가 살아서 움직였다고 합니다. 투약 후 충분한 시간이 지나고 감금된 의약품실에 들어갔는데 무언가가 자신들을 공격했다고…….

그대로 정신을 잃었고 이후 수색해봤지만 연구동 내부에 그에 대한 어떤 단서도 없었다고 합니다. 스티브가 ID카드를 잃어버렸고 내부에도 없던 걸로 봐서 그대로 본사 건물 바깥까지 나간 것으로……

들여 보내셨던 한국인, 실종되었습니다.]

"……."

민형석은 곧바로 화를 내지는 않았다.

지나친 화가 그의 말을 막았던 탓이었고, 두번째로 말이 안된다고 생각했기 때문이다. 그는 제약사의 대표로 있지만 연구원도 뭣도 아니었고, 그저 돈과 사람 목숨에 관련된 것들을 결정하는 인간이었다. 전문적인 이야기는 이해할 수도 알아들을 수도 없으나 어

떤 물건이 어떻게 사람의 목숨을 앗아가는가,

또 어떤 프로젝트가 그들에게 얼마만한 돈을 주며 어떤 방향성으로 귀결되는가는 파악해야 했다.

그도 들어본 바 있는 Fa시리즈의 약물은 Zaice사의 미치광이 과학자가 실험하고 있던 가장 지독한 종류였다. 인체 실험의 피험자를 불법으로 구해다가 해외 제약사에 제공하고 있는 그들이었고, 그것을 대가로 막대한 인센티브를 받고 있었다.

이번에도 역시 그런 절차의 일환이었고, 가장 쉽게 사람을 없앨수 있는 방법이기도 했다. 그들이 늘 하는 방식이었으니까 말이다.

거기다가, 김영석의 뒤통수를 칠 때 그에게 주사하라고 보냈던 신경성 독은 그것만으로도 목숨을 잃기 충분한 것이었다. 운이 좋아서 살아남았다고 하더라도 극독약물의 실험체가 되었는데,

뭐,

시체가 살아있었고 또 실종되었다고?

웃기지도 않는 말이었다. 그가 관할하는 제약사 본부의 프로젝트이기에 더욱이 잘 안다. 꿈같은 소리를 들은 민형석은 차분하게, 숨을 골랐다.

담배의 끝이 계속 타들어가 그의 손가락에 열기를 전달했다.

"윽!"

형석은 소리를 내며 담뱃재를 재빨리 털었다. 짜증난다는 투로 인상을 구기면서 골목 바닥에 떨어진 그것을 구둣발로 밟아 비빈다. 희미한 불빛과 연기를 마지막으로 열기는 사라졌다.

[…왜 그러십니까?]
"……."

오시마가 이상한 소리를 내자 물었지만 그는 답하지 않았다. 차분하게 먼저 머리를 식히고,

그에게 이상한 개소리를 지껄이는 부하에게 할 말을 또박또박 말하고자 했다.

"…김영석이가 살아있다고? 그게 무슨 개소리야, 이 새끼야. 너 씨발 제약사에서 얼마 받아 처먹는 줄 알아? 연구부장으로 있으면서 분기당 수 억원을 받아 챙기는 새끼가 지금 나하고 농담 하는 거냐?"

길게 뱉어진 말엔 욕설이 그득했다. 쌍욕은 몇 글자 되지 않지만 발음 하나하나가 독기로 뱉어졌다. 오시마는 통화기 너머, 연구동의 본인 사무실 건물에서 움찔하며 어깨를 떨었다.

자신이 하면서도 말이 안되는 말이라는 걸 알기에 대꾸할 논리가 딱히 없었다. 하지만 그가 꿈을 꾼 게 아니라면, 그가 오더를 내렸던 세 명의 연구원이 단체로 미친 게 아니라면 말하는 바는 모두 사실이었다.

정체도 제대로 듣지 못한 미상의 남자가 연구동 내부로 들쳐 업

혀 실려온 것은 그도 안다. 그에게 독극물 실험을 하라는 형석의 지시를 들은 것도 그고. 연구원 셋은 완벽하게 신뢰하지는 않아도, 적어도 조직의 일을 망칠 정도로 담력이 센 놈들은 아니었다.

그렇기에 받아들였고, 또 사소한 투정 따위를 부리고 실적이 좋지 않아도 데리고 있던 연놈들이었고.

두 놈은 기어코 나가버리고 말았지만, 어쨌든 자신에게 거짓말을 할 정도의 배짱은 없으리라. 알지도 못하는, 반쯤 죽은 채로 들어온 남자와 작당모의를 해서 그를 살려 보내주고 자신에게 거짓말을 한다?

그들에게 어떤 얻을 것도 없는 이야기였던 데다가, 사실 Fa-1123을 투여하지 않았더라도 그대로 하루 이틀 정도가 더 지났으면 십중팔구 남자는 목숨을 잃었을 것이다.

그에게 미리 투약된 신경성 독이 어떤 것인지 오시마 역시 들었으니까. 조직의 일에 쓰라고 난폭하게 제조된 독이었다. 후유증이나 부작용 따위는 전혀 신경 쓰지 않고 만들었고, 순식간에 사람을 잠재우는 데다가 적절한 해독약이나 조치가 없다면 그대로 목숨을 잃기 쉬운 물건이었다.

오시마는 과학자였고, 자신이 이해하지 못하는 논리에 대해서 한 번에 받아들이지는 않았다. 그가 모르는 사실이 있더라도 어떤 논리적 정합성을 띄어야 할 테였다, 모든 새로운 이야기들은.

그가 들은 일련의 사건은 그런 정합성에서 벗어나 있었다. 누군가 거짓말을 하는 게 아니라면 말이다.

[……사실입니다.]

그래서 오시마는 스스로도 그렇게 다시금 답하는 일이 조금 치욕스럽기도 했다. 투약을 직접 했던 세 명을 따로 불러다가 긴 질의와 신문을 하기도 했다. 나름대로 사람을 보는 눈이 있다고 자부하는 그는, 그 세 명의 말단이 거짓말을 하고 있지는 않다고 판단했다.

만일 하더라도 어떤 틈이 있을 법도 한데, 세 명의 이야기 자체는 사실적이었고 만들어낸 흔적도 없었다. 김영석이 살아서 일어났다는 것만 빼고는.

이제야 실려왔던 남자의 이름을 알게 된 연구부장은 무겁게 말하고는 민형석, 제약사 오너의 대답을 기다렸다.

그 위로도 연구직책을 맡고 있는 선임자나 간부가 많이 있었지만 비령 제약에 대해서 가장 잘 이해하고 있는 것은 그였다. 애초에 일본계의 범죄 조직들과 연이 있던 커리어를 쌓아온 그. 비령 그룹이 점차 커지면서 일본의 뒷거리에서 이름을 알린 그가 스카웃 되다시피 하며 건너오게 되었고, 생각보다 더 풍족한 대우와 안정적인 생활에 만족하고 있었다.

한국은 돈이 있다면 먹고 살기 좋은 나라였다. 일본도 마찬가지이기는 했지만. 비령 그룹은 온갖 더러운 일에 손을 대면서도 여기저기에 연줄을 잘 만들어뒀는지 안정적으로 사업을 운영해나갔다. 오시마에게는 그런 사실이 중요했고, 그가 앉은 자리는 나름대로 만족스러웠다.

민형석이라는 보스 역시 맡은 일만 제대로 처리한다면 그렇게 까탈스러운 구석이 없는 양반이었고.

"……."

　민형석은 입을 다물었다. 뭐라고 해야 좋을지 떠오르지 않아서였다. 지금 연구동에 있는 수석 연구원이 조직에서 유통하는 마약을 가져다가 빨았을까? 그도 아니라면 뭐, 다른 파벌에 있는 놈들이 몰래 제약사의 연구원에게 접근해서 그를 엿먹이려고 지금 분탕질을 치려는 걸까.
　그의 머리로 떠올릴 수 있는 가능성들은 그 정도였다.

　민형석은 일단 수석 연구원에 대한 처우를 여러 가지 생각하며 고민한다. 달빛이 깨나 밝다. 여름 밤의 골목길. 담배 한 대 제대로 태우지도 못했다. 그는 짜증스럽단 생각이 들어 주머니에 들고 온 담배갑에서 연초 하나를 더 꺼내 들려고 했다. 핸드폰은 스피커 폰으로 바꾼 뒤 손을 내렸다.

　오시마는 먼저 통화를 끊지는 않았다. 형석이 주머니에 든 담배갑에서 담배를 하나 꺼내 들고, 반대편에서 라이터를 집어 입에 문 담배에 불을 붙이려 탁, 하고 튀겼다.

　"푸후우……."

　민형석의 한숨에 오시마는 말이 없다.

　*

　"푸후우……."

150

어둔 골목에서 담배에 불을 붙여 한 모금을 마시는 놈이 있었다. 영석은 그 모습을 태연하게 지켜보았다. 그의 집 담벼락 너머까지가 훤히 보이는 위치였다. 주택가에는 빌라 등도 있었다. 어둔 밤, 골목길 사이에 혼자 서 있는 민형석의 얼굴이 보인다.

적잖은 거리임에도 불구하고, 영석의 귀에 민형석이 내뱉는 거친 숨소리가 들려왔다. 정신을 집중하면 한 방향의 소리를 확대해서 듣는 듯한 짓거리가 가능했고, 민형석이 핸드폰을 붙잡고 하는 이야기의 내용마저 전부 들었다.

거리로 따진다면 수십 미터 정도 떨어져 있다. 그는 6층짜리 빌라의 옥상 난간에 앉아 있었다. 철제 난간의 아래에는 발을 딛을 수 있는 작은 공간이 있었고, 그 위에 발을 대지는 않은 채 걸터앉아 다리를 흔들고 있는 폼이다.

영석은 평소와 별 다를 바 없는 시선으로 어둠을 꿰뚫어보며 있었다. 그, 영석은 최기욱을 마무리하고 다음 대상을 찾은 참이다. 민형석은 동선을 파악하기 쉬운 대상이었다.

그가 최기욱을 죽인 것은 제법 화려한 퍼포먼스라고 할 수 있었다. 덕분에 한낮의 대로변에서 일어났던 사건에 대한 말들이 많았다. 비령 그룹 내부에서도 최기욱의 죽음을 두고 누가 그랬는지에 대한 의견이 분분하다.

다만 갑작스럽게 일어난 사고에 대해서 뉴스는 원인 불명의 자동차 사고가 있었다는 식으로만 이야기했고, 대낮에 암살을 당한 범죄 조직의 보스에 대해서는 자세히 다루지 않았다.
겉으로는 비령 금융의 사장으로 있었음에도 그러했다. 언론 통제를 할만한 양반이 그룹에 연이 닿아 있는 지도 몰랐다.

비령 그룹에 문제가 생겼다는 걸 대외적으로 알려봐야 좋을 일이 없었다. 어디까지나 그들은 견고하고 튼튼해야 했고, 그런 식으로 범죄 조직이 성장할 때마다 더 많은 투자자들이 유치될 것이다.

그런 허세의 틈바구니에 쑤셔 넣고 있는 칼날이 영석의 행동이었다.

최기욱이 월요일에 죽고 3일 뒤인, 17일이었다. 더운 여름날의 공기는 후덥지근하다. 영석은 평범한 복장이었다. 움직이는 데 큰 불편함이 없는 통이 크고 신축성이 있는 청바지에 가벼운 윈드 브레이커를 걸쳤다. 블랙진과 함께 검은 외투였고, 날이 덥지만 검은색 일색의 복장이었다.

그는 맨 눈으로 멀리에 있는 민형석을 바라보고 있다. 그의 일과와 동선, 집의 위치를 알아내기는 그다지 어렵지 않았다. 제약사 본사 건물이 있는 그 곳, 그가 끌려갔다가 제 발로 걸어나온 빌딩의 근처에서 그를 기다렸고 금방 그를 만날 수 있었으니까 말이다.

최기욱을 잡기 위해서 건물에서 뛰어내리는 등 스턴트맨보다 더한 짓거리를 실제로 해댔지만, 몸의 충격은 생각보다 그리 크지 않았다. 약간의 찰과상 등을 제외하면 상처는 없다고 해도 좋았다.

김영석의 몸은 많은 것이 바뀌었다. 신체 능력이 본질적으로 올라간 것 외에도 감각 기관의 기능이 인간의 것이 아닌 것처럼 향상되었고, 또 그 신체 능력을 사용하는 운동 신경 역시 엘리트 운동선수의 그것보다 낫게 바뀌었다.

전체적으로 다른 사람이 된 것 마냥 기능이 바뀌었다. 잘 돌아가는 머리는 현실적으로 실현 가능한 계획들에 대해서 그에게 끊임없이 알려주었고, 지금 그가 있는 위치도 그런 계획의 일환이었다.

직선 거리로 수십 미터, 어쩌면 백 여 미터 정도. 빌라 건물의 옥상에서 대각선으로 떨어지면 그대로 민형석이 있는 곳이었다. 총으로 쏘는 것이 가장 일이 쉬울 지도 모르겠다만, 아쉽게도 본격적으로 저격용의 총을 구할 수완이 없었다. 권총류 정도는 얼마든지 구해볼 수 있겠지만, 소총이 되면 영 마땅찮다.

멋대로 그런 것을 사용했다가 뒤가 잡히면 껄끄럽기도 하고. 지금의 그는 비령 그룹의 간부로서 많은 뒷배경을 가진 사내가 아니라 그저 낙오된 한 개인에 불과했으니까. 더 이상 공권력의 감시를 함부로 빗겨 나갈만치 큰 저력이나 수단이 없었다.

그는 조금 더 손쉬운 방법을 선택했다. 그 스스로가 총탄이 되는 것 말이다. 우스운 말이겠지만, 그다지 어렵지 않은 일이라는 게 자기 자신도 가장 놀라웠다.

영석은 거리를 잰다. 그리고 휙, 하고 자신의 몸을 던졌다.

여름 밤. 멋들어진 2층짜리 저택의 정원과 그 담벼락, 그 사이 골목이 보이는 빌라 옥상에서 한 사내가 자신의 몸을 허공으로 투신했다.

*

153

영석은 자신의 몸이 공중에 붕 뜨는 부유감을 순간 느끼고, 즐겼다. 주변의 사물들이 느리게 움직이는 것처럼 느껴졌다.

그의 사고가 가속화되어 있고 또 동체 시력 등 반응이 인간의 극한을 가뿐히 넘는 수준으로 발달해 있는 탓이었다.

난간의 아래에는 발을 디딜 수 있는 작은 공간이 있었다. 신발을 그대로 가져다 대면 발끝이 슬쩍 튀어나올 정도의 요철이었다. 그것을 밟지 않고 그는 그대로 떨어져 내렸다.

쑥, 떨어지는 영석의 몸이 밤하늘 공기를 가른다. 건물의 옥상에서 5층 부근에 간 그는, 자신의 위치에서 그대로 잡을 수 있는 것을 잡았다. 천천히 움직이고 있는 듯 보이는 상황에서 잡을 만한 것을 놓치지 않는 일이었고, 아주 쉬웠다.

콱! 하고 몸을 밀어 올리는 운동을 하듯이, 몸의 뒤켠 아래로 쭉 뻗은 두 팔이 그대로 빌라 5층의 베란다 난간을 잡았다. 정확한 타이밍에 손아귀에 철봉이 걸렸고, 그대로 몸이 쑤욱 떨어지다가 멈추었다.
마치 묘기처럼 공중에 그가 멈춰 섰다. 그와 함께 난간 사이의 베란다 바닥 틈새로 그가 발을 밀어넣었다. 영석은 빌라의 건물 외벽에서 자유롭게 움직이고 있었다.

날개가 없을 뿐이었지, 공기의 흐름을 타고 움직이는 듯 자유로운 동선이었다. 제대로 자세를 잡은 그는, 그대로 앞 건물과의 거리를 가늠했다. 그의 앞에는 작은 차 하나가 지나갈 정도 폭의 인도 하나, 그리고 단독 주택의 옥상 지대가 있었다. 2층짜리 건물이었는데, 그 옥상의 면적이 넓어 제법 여유로웠다.

그 쪽으로 뛰어내리기에 말이다.

영석은 자세를 잡고, 호흡을 가다듬으며 한 순간에 멀리 뛰기를 했다. 별다른 도움 닫기도 없이, 날다람쥐가 날듯이 휙 날아간 그의 몸이 앞으로 뻗는다. 상체 쪽으로 무게 중심이 온다. 그는 공중에서 한 바퀴 제비를 돌면서 움직였다.

회전과 함께 그의 몸이 조금 더 먼 포물선을 그리는 듯했다.

영석은 공중에서 한 바퀴를 더 돌았고, 그 즈음에 단독 주택의 옥상 부근에 도착했다. 콰학! 하며 거친 돌바닥에 그의 몸이 쓸렸으나 딱히 아픈 감은 없었다. 그대로 지면에 그의 몸을 문지르듯 굴러 낙법을 취했다. 십 여 미터 위의 공중에서 떨어지면서 취한 낙법이 제대로 될 리가 없었다. 보통이라면 몸이 박살나고 그대로 이승과는 작별 인사를 고해야 했을 충격이었지만, 영석의 몸은 멀쩡하다.

그가 걸쳐 입은 윈드 브레이커 재킷 역시 튼튼한 재질로 만들어졌는지 용케 찢어진 구석이 없었다. 그는 길게 굴러서 차분하게 일어섰다. 어둔 밤이었다. 늦은 저녁. 단독 주택의 머물고 있을 사람들은 저녁을 먹고 집 안에서 각자 휴식을 취하고 있을 시간이다. 옥상에 올라오는 사람은 없었고, 주택가 인근 골목에도 사람이 별로 없었다.

그런 주택가의 어느 가정 집, 유난스럽게 담벼락 근처나 정문 즈음에 검은 양복의 사내들을 배치해두고 있는 것이 민형석의 집이었다. 단독 주택의 정원과 담벼락, 그 너머에 바로 좁은 골목이었다.

영석은 그대로 굴러서 벌떡 일어나며 가까워진 민형석의 위치를 확인했고, 장독대니 뭐니 하는 것들이 늘어서 있는 어느 주택의 옥상 위를 달렸다.

고추를 말려 놓은 돗자리가 있었다. 여름 날에 이렇게 늘어 놓으면 햇빛에 잘 마르는 것인지, 뭐 영석으로서는 노하우가 없어 제대로 알 도리는 없다. 어둠 가운데 조명조차 별 것이 없지만 그의 눈에는 대낮의 광경처럼 확연하게 사물이 구분되고, 거리감마저 뚜렷하다.

김영석은 그대로 굴러 일어나 순식간에 대시를 해냈고, 마지막 순간에 고추를 늘어 놓은 돗자리 위를 훌쩍 뛰어넘어, 옥상의 석재 난간 위를 밟으면서 앞으로 뛰었다.

민형석의 재수 없는 얼굴이 점차 가까워졌다.

*

콰학!

하는 소리가 들린 것 같았다.

한숨을 쉬듯 담배 한 대를 마저 태운 민형석은 인상을 찌푸리며 골목 바로 앞의 주택을 바라보았다. 그리고 보면 어둔 밤 하늘에 뭐가 휙, 하고 움직인 것도 같다. 그러나 제대로 본 것도 아니었고,

시선을 다른 곳에 두다가 그 시야 언저리에 잡힌 모습이었다.

잘못 봤겠거니, 하고 생각했는데 연이어 들린 소리에 조금 신경이 가서 고개를 들었다. 골목길 하나를 사이에 두고 있는 주택의 이웃과는 별다른 연이 없었다.

그가 살갑게 주변 이웃들과 교분을 나눌만한 일을 하고 있는 인간도 아니었고, 그럴 신분도 아니었다. 어지간하면 주변과는 엮이지 않는 것이 서로를 위해서 좋은 일이다.

민형석에 대해서는 모르면 모를수록 좋은 일이었고, 그럼에도 불구하고 주택 담벼락을 주욱 둘러서 경계를 세워 놓는 조직원들의 자태 때문에 인근에서는 은근한 소문이 돌기도 했다.

형석도 어지간하면 눈에 띄는 짓은 하고 싶지 않았지만, 최근 조직의 정쟁이 계속되고 있기에 어쩔 수 없는 조처였다. 각 파벌 중에 그를 당장 노릴만한 이들이 없기에 심적으로 부담이 그리 크지는 않았지만, 인생이란 건 혹시 모를 일의 연속이었으니 말이다.

오시마와 대화를 하고 있던 핸드폰은 여전히 왼 손에 들고 있었다. 통화 역시 끊기지 않았다. 수석 연구원은 마땅한 변명을 결국 더 찾아내지 못했고, 형석의 히스테리와 분노를 그대로 들을 처지였었다.

민형석은 다시금 개소리를 지껄이는 오시마 사토루와 이야기를 해보기 위해서 핸드폰을 자신의 귀 근처로 가져가려던 참이었다.

그 때,

타닥, 하고 무언가 밟고 움직이는 듯한 소리가 났다. 그가 반사적으로 들어 올린 고개로 확인하기에, 어둔 밤하늘에 다가오는 형상이 있었다. 시꺼먼 그림자가 그에게 달려들고 있었다. 그는 제대로 인지하지 못한 채 우선 입을 벌려 소리를 냈다.

"어어억?"

제법 큰 소리가 났고, 통화기 너머의 오시마가 그가 말하는 줄 알고 귀를 기울였다.

*

8. 김도건

김영석은 멍청하게 입을 벌리고 있는 민형석의 얼굴을 가까이서 확인할 수 있었다. 그의 거리감과 타이밍은 정확했다. 한 번의 도약만으로, 그는 멍청하게 서 있는 사내가 있는 곳을 정확히 낙하지점에 맞췄다.

골목을 넘어서면서부터 불빛이 보였다. 담벼락 너머 주택에서 밝혀진 불빛 따위가 있었고, 골목 끝에 위치한 가로등 따위의 광량이 희미하게 골목 내부를 비춘다. 민형석이 쥐고 있는 담뱃불마저 영석의 시야를 밝힌다.

적은 양의 빛으로도 그는 민형석의 면상을 세밀하게 관찰할 수 있었다. 어둠 속에서도 형체와 거리감을 확실하게 구분할 수 있는 김영석이었지만, 물체의 질감이나 세세한 색깔까지 보는 것은 어려웠으나 지금은 또렷이 보인다.

형석이 들고 있던 핸드폰의 액정으로부터의 불빛 역시 그의 멍청하게 굳은 얼굴을 비추었다.

김영석은 하늘에서 날아와 민형석을 덮쳤다. 단 번의 도약으로 그가 뛴 거리는 상당했다. 대각선 아래로 그대로 낙하하는 궤적이었고, 포물선이 아닌 직선에 가까운 동선이었다. 거기에 실린 에너지는 단순하게 날아와 박는 것이나 다름 없었고, 영석은 자신의 팔다리가 공중에서 생각보다 움직인다는 걸 알았다.

그래서 그냥 그대로, 민형석의 명치에 뾰족한 무릎을 가져다 대며 밀어버렸다.

"컥?"

숨막히는 소리를 내면서 형석의 몸이 밀렸다. 그대로 뒷걸음 치지도 못하고 중심을 잃은 채 덩달아 몸이 떴고, 그대로 대각선 방향으로 마저 하강했다.

형석이 뒤로 젖혀지면서 그를 기다리고 있는 건 자신의 주택의 담벼락과, 그 아래 깔끔한 콘크리트 바닥이었다. 골목까지 포장을 하고 쓰레기 하나 없이 평소에 정비되어 있는 동네였다. 살기 좋은 곳이었고, 형석은 번듯한 직함을 가진 채 그런 곳에 살고 있는 삶이 썩 만족스러웠다.

콰직,

하고 소리가 났다.

그리고 그와 함께 형석은 자신의 삶과 이별해야 했다.

그가 부딪힌 지점은 그대로 무너지듯 날아가 담벼락과 콘크리트 바닥이 교차하는 꼭짓점이 되었다. 사람의 목은 직각으로 꺾이기엔 무리가 있었고, 억지로 충격을 받아 밀려 들어간 형석의 몸뚱이는 그대로 돌바닥에 찍히고 자신의 관절을 접었다.

원래 가동할 수 있는 각도 이상으로 접혔고, 그대로 뼈가 꺾이면서 절명하고 말았다.

쿵! 하는 소리가 먼저였다. 김영석이 온 몸을 날린 박치기를 했고, 그 충격을 민형석의 몸이 그대로 받아 콘크리트에 전달했으니 말이다.

덕분에 적절한 완충제를 얻은 영석의 몸은 생각보다 부담이 없었다. 명치를 찍은 무릎이 축축했다. 그대로 가슴뼈를 부숴버리면서 내장에 타격을 주었고, 아마 민형석은 후두부에 충격을 받고 목뼈가 틀어지지 않았더라도 죽었을 것이다.

영석은 지나치게 날렵했다. 사람이라고 보기에는 말이다. 속도는 그대로 충격량이 되었고, 민형석은 뒤통수가 박살나고 가슴께가 움푹 들어가 함몰된 데다가, 목이 틀어져 죽었다.

순식간에 몇 가지 이상의 사인을 몸에 안고 절명한 민형석의 몸뚱이에서 피가 흘렀다. 쿵! 하는 충격을 받아 잠시간 바닥에 같이 멈춰 있던 영석이 간신히 몸을 일으켰다. 그의 상처는 별다른 것이 없었다. 툭툭 털면서 일어나는데, 형석의 피가 바지에 묻어 있었다. 뒤로 넘어가면서 그의 안면 구멍에서 왈칵 피가 튀어나온 탓이다.

눈뜨고 보기 힘든 정도의 참상이었고, "……." 영석은 그대로 말 없이 그를 뒤로했다.

저택의 담벼락이 흔들릴 정도의 충격이었고 큰 소리였다. 당연히 안쪽에 있던 사내들이 이상함을 느꼈다. "뭐야!" "야, 나가봐!" "사장님!" 곧바로 골목 안쪽으로 시야를 돌린 건 정문 앞에 서 있던 가드들이었다. 그들이 방향을 꺾어 몇 걸음만 뛰면 곧장 민형석이 있는 골목의 입구였다. 형석은 골목 중간 즈음에 있었는데, 굳이 따지자면 자신의 집 정문과 가까운 곳이었다.

어둡다고는 하지만 바깥에서 새어 들어오는 불빛 때문에 형상을 구분하지 못할 정도는 아니었다. 영석은, 그대로 몸을 날려 다른 집의 담벼락으로 몸을 숨겼다. 별다른 도움 닫기도 없이 사람의 키보다 높은 담벼락의 석재 요철에 손과 발을 대어 짚었고, 타닥 하는 박차는 소리가 들리더니 그가 훌쩍 넘어갔다.

순식간에 골목 안에서 사라진 영석의 신형이었다. 몇 걸음만에 골목쪽으로 들어온 가드들이 본 것은, 이상한 각도와 자세로 무너져 있는 시체 한 구 뿐이었다.

"으아아아아!" "뭐, 뭐야!"

조직원들 중 담력이 약한 놈은 기겁을 하며 소리를 지르기도 했다. 그만큼 민형석의 꼴이 처참했던 탓이다. 사람이 날아와 들이박은 것이었지만, 공중에서 빠르게 뛰어 멈춤 없이 박은 김영석의 박치기가 충격이 컸다.

마치 차량에 치인 것처럼, 부러지고 뒤틀리며 함몰된 시체는 공포스러운 꼴이다.

"읍,"
"찾아! 새끼들아! 이 주변에 있을 거다!"

소란을 듣고 순식간에 주택 내에 있던 호위조들이 전부 달려왔다. 몇 놈은 키보다 큰 담벼락을 넘어서 골목 쪽으로 오기도 했다. 영석이 모습을 숨기고 나서 얼마 지나지 않은 시점이었다.

가드를 서던 조직원들 중 경비조장이라도 되는 듯한 인물 하나가 주도적으로 소리쳤다. 갑작스럽게 쿵, 하는 괴성이 들리더니 보스가 죽어 있다. 차라리 총성이 울린 것이라면 더 상상하기 쉬울 텐데, 어떤 연유로 민형석이 갑자기 시체 꼴이 되었는지 추리하기가 쉽지 않았다.

패닉에 빠지려 드는 놈도 있었고, 그런 자들의 뺨을 갈기면서 조장이 경비조 인원들을 다룬다.

한밤 중에 느닷없이 시끄러워진 골목 근처다. 인근 주택가에 있던 자들도 커텐을 열어서 본다거나, 창문을 열어 근처의 소란을 확인했다. 직접 집 밖으로 나서는 자들은 없었다. 인근 주민들에게 민형석이 사는 집은 조직 폭력배의 간부가 산다는 사실적인 소문이 돌고 있었던 탓이었다.
그들 조직 간에 얽힌 일이겠거니, 하는 짐작은 주변 이웃들의 발걸음을 멈추게 만들었다.

영석이 담벼락을 넘어 숨어 들어간 집 역시 마찬가지였다. 2층 쪽, 형석의 집이 보이는 창문이 밝아지며 문을 열고 몇 사람이 고개를 내밀었다.

영석은 그 사이에 몸을 낮추고 빠르게 움직여서, 정원을 빙 둘러 뛰고 있었다.

소란스러운 와중에 담벼락 너머로 영석이 움직이는 소리는 묻혔고, 조직원들중 그대로 바로 옆집의 담을 넘는 놈은 없었다.
정신이 없다, 라는 말이 정확할 것이다.

경비조장 역시 간신히 정신줄을 붙잡으며 지시를 하는 것이었고,

상황 파악을 제대로 하지 못하는 실정이었으니.

골목 여기저기를 들쑤시면서 비령 그룹의 조직원들이 뛰어다녔다. 영석은 그들의 눈을 피했고, 넓은 주택의 정원 담벼락 아래에 딱 붙어 움직였다.

그 모서리 부근에 장독대니 뭐니 하는 잡동사니와 정원수들이 있었고, 그 그림자 속에 몸을 감춘 채 주변의 동향을 살폈다.

"……."

다행히 그가 숨은 저택의 안에서 사람들이 나와 보지는 않았다. 그들도 아마 상상은 하지 못할 것이다. 지금 일어난 소란이 어느 거대 조직의 보스가 죽은 탓이고, 그를 죽인 자가 본인들 집의 앞마당 구석에 숨어 있으리라고는 말이다.

영석은 소란이 잦아들기를 기다렸으나 그럴 기미는 없었다. 대신 눈을 감고 조용히 소리에 집중했다. 그의 청력은 시력이 그러하듯 초인적인 수준에 달해 있었다.

어둠 속을 꿰뚫어보는 눈처럼, 청각이 담벼락 바깥을 분주하게 달려대는 조직원들의 동태를 파악했다.

박쥐가 극도로 발달한 청력을 사용해 동굴 속에서도 미세한 움직임을 잡아낸다고 하는데, 영석의 그것이 박쥐 정도는 아니었으나 약간의 상상력과 머리를 쓴다면 어느 정도 타이밍을 잡아내기에 쓸 정도는 되었다.

그가 몸을 바싹 붙이고 있는 담벼락 너머에 바로 골목이 있었다. 그가 최초에 난간에 있다 뛰어내린 빌라 쪽을 향하는 방향이다. 빌라와 저택 담벼락 사이에는 좁은 인도가 하나 있었다. 그 사이에도 조직원들이 분주하게 뛰어다녔는데, 그러다가 사람이 모두 빠져나갔다고 생각되는 한 순간에 영석은 벌떡 몸을 일으키며 담벼락을 다시 넘었다.

휙, 하고 어둠 가운데 벽돌 무늬로 지어진 담벼락의 위로 올라섰다. 그 좁은 폭에 발을 대고 잠시 멈췄다가, 순간 탄력적으로 뛴다. 허공을 나는 움직임이 심히 빨라서, 한 순간에 불과했지만 이미 그는 빙글 날아서 빌라가 있는 쪽의 바닥에 다다랐다.

여태까지와 마찬가지처럼 그대로 바닥에 몸을 비비듯 굴러 충격을 분산시키고 관성에 따라 벌떡 일어났다.

그가 처음에 들어서 민형석을 지켜보던 빌라는 사전 답사를 마친 장소였다. 평소에 유리문도 열려 있었고, 맨 위의 옥상으로 향하는 문에도 별다른 잠금 장치가 없었다. 그는 다른 이가 보지 못하는 사이에 빌라에 들어서 빠르게 계단을 올랐다. 엘리베이터를 쓰는 것보다 그가 두 세 계단씩, 소리도 내지 않고 뛰어 오르는 것이 훨씬 빨랐다.

그가 옥상에 다다랐을 때 조직원들 중 몇 명은 빌라와 옆 집 담벼락 사이의 인도로 들어왔고, 심지어 열려 있는 빌라 내부로 들어와 실내를 두리번거리기까지 했지만 곧바로 흔적을 찾지 못하고 나갔다.

어둔 밤. 김영석을 잡는 건 쉬운 일이 아니었다. 그는 빠르고,

밤눈이 밝았고, 남들이 도저히 길이라고 생각하지 못하는 곳으로도 아무렇지 않게 이동할 수 있었으니까 말이다.

빌라 실내를 울리는 발소리도 거의 내지 않고서 다시 옥상에 올라온 김영석이다. 그는 마찬가지로 옥상 난간 쪽으로 걸어 자리했다. 처음처럼 휙, 몸을 돌려 그 난간 위에 몸을 걸친다. 이번에는 민형석의 집 쪽이 아니라 반대 방향이었다. 반대 쪽에는 비슷한 높이의 빌라 건물이 하나 더 있었다. 그가 민형석의 옆집 건물로 뛰었을 때보다 사이의 폭이 넓고, 그가 올라간 빌라보다는 약간 낮은 위치에 옥상이 있었다.

그는 별로 망설이지도 않았고, 한 순간 호흡을 멈추더니 다시금 휙, 하고 몸을 날렸다.

김영석은 몇 번의 뜀박질만으로 인근 주택가를 벗어날 수 있었고, 얼마 지나지 않아 인접한 시내로 나가 평범하게 옷을 털며 택시를 잡고 이동했다.

도중에 열려 있는 상가 건물의 화장실에 들어가 옷을 거꾸로 뒤집어 입고, 방수가 되는 청바지의 표면에 묻은 피를 닦아내느라 잠시 고생을 하기는 했다.

*

"……."

비령 그룹의 회장직을 맡고 있는 김도건은 최근 들려오고 있는 이상한 소식에 당황스러움을 감추지 못했다.

그에게 그런 소식들을 전달하는 비서나, 중간 간부들도 하나같이 표정 관리를 하느라 애를 써야 했다.

김도건이 멍청한 인간은 아니었고, 상리에 맞지 않는 소리를 들을 땐 얼마든지 역정을 낼 수도 있었으니까 말이다.

다행스럽게 2대째 회장을 맡은 김도건은 대가 센 사람은 아니었고, 자신의 휘하에 있는 간부들을 쉽게 내치지도 않았다.

그럼에도, 납득이 가지 않는 소식들에 대한 고민이 사라지는 건 아니었다.

그의 부하들이 그에게 거짓말을 하는 건 아닐 것이다.

최근 1, 2주 사이에 비령 금융과 제약의 사장직을 맡고 있는 간부가 죽었다는 사실은 반론의 여지가 없는 사실이었다. 그들의 시체가 있었으니까.

문제는 '어떻게' 죽었느냐, 였다.

그들은 하나같이 괴물에게 습격당한 사람들처럼 목숨을 잃었다. 그들의 마지막을 함께 지켜보고 있던 부하들의 증언에 따르면 그렇다.

목격자의 증언은 고스란히 김도건에게 전달이 되었고, 김도건은 그 전달 과정 중에 몇 놈이 마약을 한 게 아닌가 하는 고민을 할 수 밖에 없었다.

다행히 최종적으로 그에게 말을 건네는 비서직의 사내나 신임하고 있는 이사 자리의 간부들은 눈깔이 멀쩡했다. 호흡도 불안한 구석이 없었고, 평소 그가 알고 있던 부하들의 모습 그대로였다.

그렇다면, 자신이 꿈이라도 꾸고 있는 걸까.

김도건은 마약을 하지 않은 지 아주 오래 되었다. 예전에 철이 없던 시절에 약한 종류를 몇 번 손에 대기는 했지만, 그대로 당시 조직의 보스였던 아버지에게 반죽음을 당한 뒤에 끊을 수 있었다.

아비의 그늘 아래서 쉽게 자라난 조직 폭력배라는 게, 말이 되는가 싶었지만 김도건은 그런 존재였다.

강력한 카리스마를 가진 보스 아래서 연달아서 조직 폭력배의 길을 걸었고, 조직의 운영에 참여하면서 많은 더러운 꼴을 보았다.

그를 후계자로 인정하지 않는 자들과 은근한 기싸움을 벌이면서 그도 나름대로 생존 경쟁을 펼쳐왔고, 아버지가 급사한 이후로는 스스로의 목숨을 지키고 가치를 증명하기 위해서 몸에 잘 맞지 않는 허세를 부려야 할 때도 많았다.

김도건은 사무실에 있었다. 비령 그룹의 본부라고 할 수 있는 IT 계열사의 본사가 그가 자리한 곳이다.
넓다란 집무실의 뒤로는 강화 유리로 만들어진 통창이 있다. 그대로 서울 시내의 전경이 그대로 보이는 곳이었고, 조직 폭력배로 시작한 그의 인생이 이런 자리에 올라왔다는 게 잘 실감이 나지 않을 때도 있었다.

김도건은 그럭저럭 평범한 인간이었지만, 그의 아버지인 '김도형'은 범상함은 확실히 넘는 자였다. 57세의 나이로 급사를 했고, 갑자기 세상을 떠났지만 그 이전까지 비령 그룹 내에서 완벽한 카리스마로 존재하며 수많은 간부들의 이목을 집중시키고, 또 그들의 불만을 잠재우던 강력한 리더였다.

그의 아버지가 세상을 떠나고 나서 많은 일이 있었다. 직접적으로 김도건을 해하려는 움직임도 있었고, 넌지시 그에게 맞지 않는 자리에 앉은 것이 아니냐는 둥, 눈치를 주는 간부들도 많았다.

그럼에도 불구하고 생전에 김도형이 골랐던 정당한 후계자로서, 자신이 해야 할 일을 하고 버티어 서는게 그의 역할이다.

비령 그룹은 범죄 조직이었지만, 그에게 있어서는 모든 것이었다.

능력이 없는 놈에게는 그 나름의 편법이나 성실함이 있는 것이었고, 자신의 역량을 모두 발휘해서라도 살아남는 것 이상의 인생을 이루어내고 말리라, 는 게 그의 각오다.

그런 김도건의 결단 후 약 2년. 보이는 정쟁과 보이지 않는 암투 속에서 그는 살아남았고 아직도 회장직을 유지하고 있다. 비령 그룹은 계속해서 커져갔고, 지금에 와서야 그 성장세가 둔화되기는 했지만 여전히 범죄 조직이라고 믿기 어려울 정도의 덩치를 하고 있는 거대 조직이다.

그 간부나 조직원들에게 돌아가고 있는 떡고물도 자연스레 많을 수 밖에 없다. 조직의 간부를 자처하는 자들의 욕심은 그들이 먹고 있는 양식보다 더 많은 양을 언제나 원하는 듯했지만.

최근에 있었던 물산 쪽의 몰락은 그에게 있어서도 눈에 띄는 장면이었다. 비령 그룹의 카리스마라고 할 만한 자들은, 조직의 리더였던 생전의 김도형 외에도 있었다. 꼽자면 목진형과 김영석, 둘이 있을 것이다.

비령 그룹이 아직 중소 규모의 범죄 조직이었을 때부터 시작해서, 온갖 아수라장을 다 겪고 헤쳐온 두 인간의 명성은 조직 내에서 나름대로 유명한 것이다. 그들과 비슷한 연배인 김도건에게도 나름대로 자극이 되는 이야기들이었고.

그에게 목진형이나 김영석은 딱히 악의를 품을만한 대상은 아니었지만, 목숨을 바쳐가면서 도와줘야 할 아군 또한 아니었다. 그저 만나면 목례 정도를 하는 이웃, 그 이상도 이하도 아니다. 그의 아버지 김도형은 이전에 그들을 많이 아꼈는지 모르겠지만, 도건에게 있어서 그들은 부담스러운 수하였다.

비대해진 조직엔 수 천 명에 달하는 조직원들이 들어와 있었고, 자신들의 계파에서는 서열 1위권자보다 더 신뢰와 존경을 받는 중간 간부라는 게 보스의 입장에서는 다소 언짢기도 한 것이다.

김도건은 특히나 그런 것에 예민했다. 김도형의 죽음 이후 그의 자리를 넘보는 자들이 많았으니까.

그래도 나머지 인물들은 나름대로 IT 쪽과, 그러니까 김도건을 따르는 파벌들과 이야기가 잘 통하는 편이었다. 그들은 비령 조직이 이토록 커진 것에 전적으로 기뻐하고 있었고, 사업의 방향과 조직의 확장안에 대해 공감하는 작자들이었다.

그에 반해 목진형과 김영석은 그 꿍꿍이를 잘 알기 어려운 자들이었기도 했고.

그들이 조직의 정쟁에서 가장 먼저 탈락했다고 들었을 때, 내심 '합당하다'고 생각했던 자신이 있었다. 다른 이들과 조화롭게 어울리지 못하는 자는 튀게 마련이었고, 더 이상 현실적일 수 없는 마피아 게임 중에 그런 자들은 다른 이들의 타겟이 되어 가장 먼저 죽는다고 해도 어쩔 수 없는 일이었다.

김도건이 맡고 있는 IT 계열사는 다른 여러 계파들간의 항쟁에서 다소 분리되어 있는 면이 있었다. 그는 회장직을 유지하고 있는 대가로 다른 파벌간의 정쟁에 개입하지 않기로 했다. 다른 이들의 공격을 받지도 않고, 누군가를 도와 공격하지도 않겠다는 뜻이다.

또 암묵적인 동의 하에 무력적인 방법으로 누군가를 치는 것이 가능해진 정쟁 속에서, 간부들이 제각기 자신이 먹을 그릇을 크게 불려 오면 그것을 그대로 인정해 주겠다는 뜻도 포함되었다.
정당한 조직의 후계자가 조직 내 항쟁을 인정하자 분위기는 순식간에 과열되었고, 여러 번의 간을 보듯한 소규모 교전 끝에 가장 먼저 비령 물산이 초토화되었다.

목진형을 비롯해 간부진이 모조리 끝났다는 걸 들었다.
그리고 얼마 전에 김영석이 마지막으로 죽었다는 걸 들었고.

최기욱과 손을 잡으려던 김영석을 제약사를 맡은 민형석이 다가가 뒤통수를 쳤다던가.

배고픈 이리떼들은 어떤 식으로든 먹잇감이 필요한 상황이었다.

김도건은 그들의 눈빛이 자신에게 향하길 원치 않았고, 저들끼리 물어 뜯으면서 수가 좀 줄어들기를 기다렸다.

한 편으로는 어리석은 일이기도 했다.

김도건이 비령 그룹 내부의 싸움을 완전히 다스릴만한 역량이 없는 것은 둘째 치고, 그렇게 조직원들 간에 싸움을 부추긴 뒤 한 명이 다른 계파를 통합하고 나면 결국 그룹의 본체라 할 수 있는 IT쪽의 파벌보다 더 거대해진 금력과 무력을 갖춘 간부가 생겨날 것이니까 말이다.

김도건은 그저 눈 앞의 위험이 두려워서 자신의 마지막을 나중으로 유예시킨 자에 불과했다.

다만 그런 어리석음과 달리 당장 눈 앞의 문제를 구분할 상식 정도는 있는 인간이었다.

김도건이 집무실에서 전화를 통해 듣는 소식 중에는 '김영석'에 대한 이름이 들어 있었다.

제약 쪽의 간부들이 말하기를, 마지막에 김영석의 시체를 처리하기 위해 제약사의 연구동 건물로 가져가서 임상 실험의 피험체로 쓰려고 했는데 그 시체를 잃어버렸다던가.

최기욱이 죽을 때 곁에 있었던 비서관이나 운전자의 말에 따르면 그를 덮친 건 한 명의 남자였고, 그 인상착의를 더듬어보면 김영석의 얼굴이 나온다던가.

말도 되지 않는 일이었다.

뒷거리, 밤거리의 세계에서 온갖 일들이 벌어지고는 하지만 그래도 상식과 비상식의 경계 정도는 있었다. 인륜을 저버리는 자들에게 이렇다 할 윤리 의식은 없었지만, 그들 간에도 죽은 놈이 살아 돌아오는 건 있을 수 없는 일이다.

누구나 목숨은 하나였고, 공평한 목을 가지고 있었기에 그들이 여차 하면 덤벼들 수도 있는 것이었고.

최기욱과 손을 잡으려다 뒤통수를 맞아 죽은 김영석이 살아있다니. 시체가 되었어야 할 놈이 괴물이 되어서 거리를 돌아다니고, 비령 그룹의 간부들을 죽이고 다닌다?

3류 호러 서스펜스 소설의 내용으로밖에 들리지 않았다. 도시를 배경으로 하고, 그저 적당한 범죄 조직을 악역으로 두어서 얼마나 화끈하게 부수고 죽이는 지를 내용으로 하는 그런 소설 말이다.

김도건은 그런 스토리의 영화 류를 좋아하지 않았다. 어쩔 수 없이, 그가 늘 죽어 나가는 그 범죄조직의 수장이기에 말이다.

"……."

김도건은 의자에 앉아 핸드폰으로 현장 보고 등을 듣던 차였다. 민형석이 죽은 현장에는 이렇다 할 흔적이 없었다고 한다. 마치 귀신이나 도깨비가 날아와 사람을 죽이고 간 것 같은 꼴이었으나,

범죄 조직의 윗대가리를 자처하며 살아남기 위해서 무수히 희생시켰던 많은 목숨들 중 그의 앞에 다시 나타난 인간은 아무도 없었다.

그는 그런 일이 불가능하다는 걸 잘 알았다. 귀신도 도깨비도, 그렇게 물리적으로 사람을 죽일 수는 없었다. 괴물은 더더욱 이 세상에 없었고.

젠틀한 인상의 김도건이다. 얼핏 보면 부드러운 얼굴이라고 느껴질 정도였고. 제법 훤칠한 체격에 적당한 몸매를 갖고 있었다. 에어컨이 시원하게 틀어져 있는 회장실의 데스크 앞에 앉아서 그는 고민한다.

눈빛은 조금 흔들리고 있었다. 핸드폰을 들고 어느 영화의 줄거리를 이야기하는 것 아닌가, 싶은 헛소리를 하는 부하에게 성을 낼까 말까 고민을 하다가 알았다고 하고 통화를 마무리했다.

어찌 되었건, 그 사연의 이상함은 둘째로 치더라도 죽은 이들은 사실이었다. 최기욱과 민형석. 그 다음은 누가 될 것인가.
이런 예상 외의 상황도 결국 그가 짜놓았던 내부 항쟁 판국의 과정이나 결과라고 생각하면 되리라.
김도건의 입장에서는 야심을 가진 자들이 모조리 공멸하고, 그럭저럭 능력이 없지는 않으나 원대한 포부도 없는 자들이 중간 관리직을 맡아서 비령 그룹을 그저 유지 발전시키는 데 열심을 쏟는 모습이 가장 좋은 것이었다.

그것이 정말 그에게 있어서 좋은 대로만 될 지는 결코 알 수 없었지만 말이다. 김도건은 고급스런 원목으로 만든 데스크를 불안하다는 듯 똑똑, 손가락 끝으로 두드렸다. 커튼을 열어 둔 뒤쪽의 통창에서는 밝은 햇빛이 들어오고 있다.
낮에 그렇게 통창을 열어두면 눈이 부시거나 뜨겁다거나 할 때도 있었지만, 그는 밀폐된 공간을 별로 좋아하지 않았다.

업무상, 필요에 의해서 그런 자리에 있어야 할 때조차 어지간하면 피하는 편이다. 어린 시절부터 좁은 공간에 들어갔다가 변을 당하는 조직의 사내들을 많이 보고 자라났기 때문에 생긴 습관이나 성향일 지도 몰랐다.

그래서 그는 비령 그룹이 계속해서 커지고, 또 커져서 이처럼 대기업의 형상을 갖춘 것이 아주 달가웠다. 이 사회에 있어서 변두리의 작은 범죄 조직이라는 건 결국 밀폐된 작은 방 안에 갇힌 것이나 다름 없는 상태였다.
사회에 어떤 식으로든 영향을 끼치고, 유력자들과 대등하게 대화를 하면서 제 모습을 드러내는 것이 차라리 개방적이고, 바깥을 향해 열려있다고 느꼈다.

적어도 그런 모습을 계속해서 유지한다면 누군가 대놓고 그를 앞에서 치지는 못하리라는 생각 탓이었다.

정말로 그럴 지는 알 수 없는 일이었지만 말이다.

쿵,

하는 소리가 들렸다.

저도 모르게 김도건은 뒤를 돌아보았다. 햇살이 밝게 부서져 집무실 내부를 비춘다.

"……뭔……."

도건은 뜬금 없는 상황에 탄식을 뱉었다.

고층 빌딩 위쪽에 집무실을 갖고 있다 보면 별에 별 일을 다 보게 되는 듯하다. 드물지만 없는 일은 아니었다. 그가 앉아 있던 집무실의 가운데 유리벽에, 웬 새 한 마리가 날아와 방향을 잃고 부딪혔다.

평범한 비둘기처럼 보이는 그것은 생각보다 세게 부딪혔는지, 유리벽의 한 자리에 피를 묻히고는 그대로 주욱 미끄러져 떨어졌다. 도건이 고개를 돌렸을 때 이미 떨어지고 있는 모습이었다. 빌딩의 유리벽에 흔적을 남긴 비둘기 한 마리는, 그대로 낙하해 빌딩의 요철에 부딪히며 이리저리로 튀었고, 마지막에는 멀리까지 방향이 휘어 바람을 타고 미끄러지듯 떨어진다.
새의 사체는 비령 IT의 본사 건물이 보이는 어느 낮은 건물의 옥상에 이르렀다.

*

퍽,

하는 소리와 함께 주변에 무언가가 떨어졌다.

영석은 낮은 옥상 건물의 비상구 출입구 근처에 앉아 망원경을 들여다보고 있다가 소리에 움찔했다. 무언가 날아오고 있다는 것은 인지했다. 부딪히기 전에 이미 미세한 소리나 바람의 흐름이 있었으니까.

비상구 출입구의 안쪽으로 문을 열어두고, 그 틈새에 의자를 하나 가져다 둔 채 앉은 그다. 그 사이로 쌍안경의 각도를 올려 비령 IT 본사 건물의 위층을 탐색하고 있었다.

가까이서 요란한 소리가 들리자 어쩔 수 없이 그는 망원경에서 눈을 떼고 그 근처를 바라보았다. 마침, 기적적으로 웬 새 한 마리가 날아와 죽어 있었다. 상당히 높은 곳에서 떨어진 듯 새의 사체가 온전치 못하고 엉망이었다.

"……."

비둘기, 처럼은 보이는 데 확실하지 않다. 불쾌한 꼴을 보아 괜한 찝찝함이 마음에 맴돈다. 영석은 눈살을 찌푸렸다.

방금 회장실을 몰래 관찰하면서 그 유리벽에 새 한 마리가 잘못 날아 부딪히는 꼴을 보았다. 그대로 미끄러져 떨어지기에 그다지 상관하지 않고 망원경 속 시야에 집중했다. 자세히 보니 그 새가 여기까지 날아왔는가, 싶었다. 말이 되는지 헷갈렸지만 그럴 수 없을 일도 아니었다. 고층빌딩이 있는 도심지에 바람이 많이 불고 있었다. 저 멀리서 잘못 부딪혀 튕겼다가 주욱 떨어지다 보면 방향이 어디로든 꺾일 테였고, 그게 이 즈음이 된다고 해도 이상하진 않으리라.

그러나 하필 마침 IT 본사 건물을 염탐하고 있던 그의 앞에 떨어지다니. 이게 무슨 하늘의 계시인가, 잠깐 고민한 그는 다시금 망원경의 접안부에 눈을 가져다 댄다.

나름대로 각도가 좋았다. 빌딩에서 조금 떨어져 있는 상가 건물이었는데, 운좋게 회장의 집무실이 있는 쪽이 훤히 들여다 보였다. 그래봐야 아래에서 올려다 보는 것이라, 그 내부의 일부가 보일 뿐이었다.

회장실을 쓰고 있을 비령 그룹의 김도건 회장은 답답한 것을 싫어해서 통창을 그대로 열어두고 사용한다. 덕분에 집무용 책상이 있는 부근까지 보이면서, 그의 모습을 확인할 수 있었다.

김도건은 회장실에 오래 머무르고 있었다. 다른 일정이 없는지, IT본사에서 하루의 대부분을 보내는 것 같았다.

그의 조심스러운 성격 탓도 있는 모양이다.

비령 그룹의 내부 항쟁은 상당히 어지러운 판국이었다. 그룹의 중심이라 할 수 있는 IT사 계열과, 그 위의 김도건 회장. 이전의 비령 그룹을 이끌었던 김도형으로부터 물려 받은 회장직을 그래도 잃어버리지 않고 잘 간수하고 있는 김도건의 파벌은 항쟁의 무게 추로서 나름대로 역할을 하고 있었다.

김도건이 공식적으로든 아니든, 일단 조직 내부의 이리들이 저들끼리 밥그릇 싸움 하는 것을 인정해준 바가 있었다. 김영석 역시 알고 있는 사실이다. 김도형의 죽음 이후 비령 그룹의 성장은 어느 정도 한계를 맞고 있었고, 강력한 카리스마를 가진 중심부의 리더가 사라지자 중간 간부들이 서로 제 목소리를 내기 시작했으니까.

이리들이 무력으로 서로의 목숨을 빼앗아 제 그릇을 키워 오면 그것이 정당한 직책이 된다. 김도형이 자신의 보신을 위해서 인정해 준 조건이었다. 아무리 봐도 김영석으로서는, 그저 김도형의 죽음을 뒤로 유예시킨 것에 불과해 보이는 결정이었지만 그도 머저리는 아니니까 나름의 노림수는 있을 것이다.

그게 과연 확률이 높을까, 하는 문제는 있었지만.

어쨌든 빌어먹게도, 또 재수 없게도 내부 항쟁에서 첫 번째 공공의 적이 된 건 그가 속해 있던 비령 물산이었다. 모든 일의 시작, 이라고 할 수는 없겠지만 근래 연달아 벌어졌던 악몽의 시작 정도는 될 테였다.

그가 그나마 친애하던 모든 인물들이 죽어서 사라지거나, 혹은 병실의 환자가 되어 다시는 두 발로 걷지 못하는 몸들이 되었다.

의리라고는 쥐뿔도 찾아볼 수 없는 범죄 조직인 것을 이미 알고는 있었지만, 이처럼 습격을 당하고 나니 새삼스럽게 치가 떨리기도 했다.

그나마 다행인 것은, 하나님께서 그를 보살폈는지 아무런 문제 없이 살아났다는 점이었다. 영문은 전혀 알 수 없지만 왜인지 초인적인 육체의 기능과, 감각, 그리고 이전보다 훨씬 더 잘 돌아가는 머리까지 주어진 채 살아났다.

그는 거대하고 또 머리가 여럿이 달린 히드라처럼 난잡한 꼴이 되어버린 비령 그룹을 본다. 영석 자신이 헤라클레스는 아니었지만, 어쨌든 죽여야 할 대상은 명백하다.

그의 가는 길에 대해서 스스로 판단을 할 자격이나 신분은 없었다. 스스로의 길은 그가 아닌 다른 누군가에게 평가받게 되리라. 시험자가 자기 혼자서 채점을 하는 것처럼 우습고 또 신용 없는 시험이 달리 없으리라.

망원경의 작은 렌즈 사이로 보이는 회장실의 풍경은 그 천장 부근과 집무용 테이블이 있는 언저리 까지였다. 김도건이 앉아 있는 고급스런 가죽 등받이 의자의 뒤태와 그의 뒤통수 정도가 어른거리게 보인다.

당장 영석에게 김도건은 먹음직스러운 먹잇감이었다.

지금 항쟁이 계속되며 파벌 간 눈치 싸움이 치열한 가운데, 당장 계파 간 총력전이 벌어지지 않고 전쟁의 양식이 지켜지는 건 김도건이 그들의 싸움과 그 밥그릇을 보증해주는 탓이다.
비록 김도형은 죽었지만 그의 카리스마는 후계자에게 이어졌고, 양식도 의리도 없는 건달들에게 눈에 보이는 룰과 명맥이라는 건 의외로 깨나 중요한 의미가 되니까 말이다.

공부하지 못한 자가 학위의 대단함과 신용성에 목을 매듯이, 굶주린 자가 밥을 찾고 가난에 찌들었던 인간이 지독하게 돈을 쫓듯이 말이다.

그건 생존 본능이라고 해야 좋을 것으로, 정말로 아무런 양식이 없다면 범죄 조직들조차 제대로 된 형상과 조직을 유지하지 못하고 무너져 내리기에 겉보기에 불과하더라도 그런 이름값이나 명분이 나름의 중요도를 갖게 되는 것이다.

그런 상황에서 김도건이 사라지면 간부들의 움직임이 격화될 것이다. 비령 물산을 치고, 진형과 영석을 쳤을 때처럼 일사분란한 모습은 보여주지 못하리라. 저들끼리 살아남기 위한 아비규환의 전쟁이 되겠지.

의심만으로 이루어진 생물들이니 이렇다 할 타협이나 연맹도 쓸모가 없을 것이다. 당장 최기욱과 민형석이 죽고 남은 그 계열사들에 대해서도 호시탐탐 갈라먹기를 하고자 하는 자들이었으니.

영석이 죽인 게 해당하는 계파의 우두머리들 뿐이었으므로, 그 휘하의 간부진들이 남아 있어 그대로 조직이 공중분해 된다거나 하지는 않았다. 그러나 상당한 타격은 어쩔 수 없었고, 다른 파벌들보다 훨씬 소극적인 분위기로 항쟁에 참여하게 된다.

죽어버린 보스에 대한 당장의 장례식 절차도 있었고, 그가 가족이라도 갖고 있었다면 그들에 대한 처우와 부양 역시 생각해야 하리라.
제약과 금융사의 사장들이 후계자를 정확하게 점찍어두지 않았더라면 다시 파벌 내부에서 아귀 다툼이 일어날 수도 있었고.

단신으로 비령 그룹의 빈틈을 노리고 있는 영석으로서는 가급적 최대한 혼란이 벌어졌으면 하는 바람이었다.

그는 그 날도 김도건이 결국 하루 종일 본사 건물 내부에서만 일과를 보다가, 자택으로 향하는 모습을 지켜봐야 했다.

동선이 단순하고 복잡하고는 그다지 중요한 게 아니었다. 중요한 점은 그 사이에 얼마만한 틈이 있느냐, 하는 것이었지.

일반적으로는 틈이라고 보이지 않더라도 영석이 갖고 있는 비인간적인 능력을 대입해 계산해봤을 때, 괜찮은 빈틈이라면 그것으로 족했다.

상대의 목숨을 앗아갈 빈틈 말이다.

***

9. 스티브 블레어

틈은 의외로 금방, 또 쉽게 찾을 수 있었다.

영석은 일이 잘 풀린다고 생각했다.

*

"씨발."

거친 욕을 내뱉는 건 이질적인 입이었다. 스티브 블레어. 건장한 키를 가진 백인 남성이다.

그는 입으로 욕을 뱉은 것과는 달리, 그리 불행하지만은 않았다.

다행 중 불행이라는 건 늘 감사할 줄 모르는 태도를 가진 이에 게 욕이 나오기 적당한 상황이기는 하다.

그는 여러가지 감사할 거리들이 있었지만, 개중에서 불운한 것에 집중해 욕을 지껄였다. 그의 심성이 모자라다고 비난하기에는 다소 무리가 있다. 그럴만한 일이었다.

"개같은 비령제약."

두 번째 말은 영어였다. 밤거리를 걸으면서 욕을 내뱉는 백인의 인상에 어울리는 언어였다. 학부에서 한국어를 복수 전공한 바가 있었고, 이후 커리어를 쌓고 연구원의 길을 걸으면서도 당시에 배웠던 언어는 꽤나 도움이 되었다.

그의 가장 최근 커리어라고 할 수 있는 비령 제약의 연구원 자리도 그가 나쁘지 않은 솜씨를 지녔다는 점이 있겠지만, 아무 무리 없이 한국인들과 소통 가능하다는 게 고용된 큰 이유였으니까.

안정적인 치안을 갖고 있는 선진국에서, 본국에서 일을 할 때보다 도리어 훨씬 많은 연봉으로 일할 수 있다는 정보에 그는 거리낌 없이 비령 제약에 들어가 근 1년 여 간 열심히 일을 했다.
많은 단발적 프로젝트에서 성실하게 연구에 임했으며 연구자로서의 윤리를 나름대로 지키며 일했다. 그가 통제할 수 있는 상황 내에서는 말이다.

그가 제약사를 나오기 이전, 마지막 상황에서는 도저히 납득할 수 없는 일을 겪었기에 결국 퇴사를 결정했다. 그 날 보았던 기억은 아직까지도 그 스스로에게 의문으로 남아있는 점이었다.

Fa-1123이라는 독극물을 투여당한 대상이 살아 움직이는 것 같은 모습이었고, 순간의 장면 뒤에 그가 곧바로 기절했으니 말이다. 몇 시간이 지나서야 정신을 차린 그와 다른 두 말단은 연구소 내부를 수색했으나 수상쩍은 사람의 인기척을 발견할 수 없었다.

그가 직접 눈으로 본 건 양복 차림의 어떤 동양인 사내가 연구동에 실려 들어왔다가, 그렇잖아도 상태가 좋지 않은 몸에 독을 맞고 한 시간 뒤에 확인했더니 스쳐 지나가듯 얼굴을 본 것이 전부였다. 1, 2초 정도의 인상 확인 후에 그는 기절했으니.

이후에 한참 시간이 지나서 그들의 상급자, 오시마에게 보고를 하며 그게 말이 되는 소리냐며 곤욕을 당하고 퇴사를 했으며, 지금에 이른다.

기세 좋게 퇴사를 하고 나오는 것까진 좋았다. 당장 다음 직장을 구할 수는 없었지만, 그에게는 그간 받은 월급 등이 있었으니까. 다행스럽게도 한국어는 능통하고 또 서울의 지리도 익숙한 편이었다.

그에게 있어 한국은 분단선 위로 북한의 위협만 제외한다면 아주 살기 편하고 또 좋은 곳이었다. 돈만 두둑하다면 어떤 면에선 미국보다 생활 환경이 괜찮을지 모른다.

넓은 땅덩이에 무수한 미치광이들이 떠돌아다니는 미국은 치안이 그리 좋지 않았으니까 말이다. 부자로서 호위를 거느리고 안전한 루트만 이용하며 다닌다면 그럴 일이야 없겠지만, 언제나 신경을 곤두세우고 또 자신의 자유가 제한당해야 한다는 면이 그로서는 취향에 맞지 않았다.

도리어 주변에 아무 호위도 없이 제 두 발로 밤거리나 골목을 돌아다닐 수 있는 이곳이 차라리 마음에 들었지.

돈만 있다면 말이다.

비령 제약은 고약한 놈들이었다. 그가 퇴사하고 나서, 그에게 주어지는 월급을 넣는 통장에 무슨 수작을 부린 것인지 해당 계좌가 막혀버렸다.

애초에 비령 제약에게서 받는 돈이었고, 비령 그룹의 계열사 중 하나인 비령 금융을 통해 만든 통장이었다.

한국에서 그가 알뜰하게 벌이를 모아온 유일한 계좌였는데.

여러모로 살아오며 진 빚들 때문에 그리 여유롭지는 못하던 스티브였다. 그는 퇴사하고 얼마 지나지 않아서 비령 금융 쪽을 통해 만든 계좌에 이상이 있다는 걸 알았고, 그게 밤거리를 지나며 욕을 뱉었던 이유다.

얽혀서 제대로 되는 일이 별로 없었다. 세정, 그와 입사 동기라 할 수 있는 그녀는 마지막 순간에 비령 제약에 남는 길을 선택한 것 같기는 했다.

과연 그게 그녀의 삶에 있어서 올바른 선택인지는 알 수 없었지만.

눈 앞에 돈을 보여주며 미끼를 흔든다고 언제나 그게 안전한 길일 리는 없지 않겠는가. 스티브가 생각하기에 세정은 위험을 감지하는 기관이 약간 맛이 갔거나 마비가 된 인간이었다.

돈과 안전한 삶이나, 돈과 목숨 중에서는 후자가 더 값비싼 것이 어린아이도 알 수 있는 결정이었는데 말이다.

이전에 그가 사업 실패로 빚을 지고 변변찮은 생활을 하던 때의 계좌가 남아 있었다. 국제 카드로 바로 출금이 가능한 곳이었고, 당장 입에 풀칠은 할 수 있었지만 여유로운 생활은 불가능한 상황이다.

스티브 블레어는 엘리트 연구원답지 않은 추레한 꼴로 밤거리를 거닐었고, 투덜거리며 동네 편의점에 들러 담배 한 갑과 아이스크림을 들고 자신이 머무는 맨션으로 향했다.

*

달칵,

하고 문을 여는 스티브는 헛것을 보았다고 생각했다.

그럴 수 있었던 건 그의 눈이 좋았기 때문이었고, 또 기억력도 좋았던 탓이다.

스티브 블레어는 자신의 맨션 건물, 현관 앞에 다다라 문을 열었다. 비밀번호로 열리는 전자 도어락은 익숙한 손놀림에 금세 기계음을 토해내면서 풀렸다. 달칵이는 현관문의 쇳소리와 함께 문을 열던 스티브는 누군가 다가오는 인기척에 고개를 돌렸다.

그리고 자신과 같은 층에 사는 듯한 주민의 얼굴을 슬쩍 보고서 그만 굳어버리고 말았다. 그의 기억 속에 있는 한 장면의 얼굴과 닮은 인상이 그곳에 있었던 탓이다. "……."

스티브는 자기도 모르게 턱을 매만졌다.

그리고, 최대한 당황하지 않은 척을 하면서 고개를 돌렸고, 문 안으로 들어가기에 이른다.

철컥,

하고 문을 닫으며 들어온 그를 반기며 자동 센서가 있는 실내의 전등이 켜졌다.

*

영석은 익숙한 얼굴을 보았기 때문에 순간 움찔하며 멈춰 섰다.

키가 멀대같이 큰 백인 남성. 붉은 기가 도는 갈색 머리에 푸른 눈. 다부진 체격과 뾰족한 턱. 그를 보고 눈을 크게 뜨더니 아무렇지 않게 들어가는 꼴이 우스운 양반이었다.

스티브 블레어.

비령 제약에 끌려갔을 때 신세를 진 연구원 중 한 명이었다. 그의 ID카드를 훔쳐 그대로 제약사 건물에서 달아날 수 있었던 영석은 그의 이름을 분명히 기억한다.

그가 9층 복도에 올라와 걸은 시간은 길지 않았고, 또 불이 그리 밝지 않은 어둔 복도 저 멀리 즈음에 있던 인간이었지만 강화된 시야는 그를 똑똑히 인식하고 알아챘다.

스티브 역시 그를 알아본 것 같았다. 스티브가 있는 쪽의 복도는 자동 센서의 불이 고장난 건지, 혹은 시간이 오래된 건지 그가 문을 열고 들어가는 시점에 꺼져 있었다.
영석이 있던 곳은 그가 금방 올라와 걷고 있었기 때문인지 밝게 빛났고. 무엇보다도 그쪽으로 고개를 돌렸다가 눈에 띄게 당황하는 모습이었다.

거리가 멀었기에 세세히 분간하기, 원래는 어려웠겠지만 지금의 영석에게는 코 앞의 반응처럼 느껴졌다.

별 우연도 다 있군, 하고 영석은 대수롭지 않게 생각했다.

그를 죽이려고 했던 인간이지만 스티브가 하고 있는 표정이 영 좋지는 않았다. 그의 ID 덕분에 나올 수도 있었고. 결과적으로 그는 다친 곳 없었고, 멀쩡함 그 이상의 신체를 가지게 되었다. 직접 그에게 이상한 약을 투여한 듯한 여자는 괘씸함을 담아 조금 더 거칠게 기절을 시키긴 했다만.

그에게 달려들지도 않고, 비령 그룹의 범죄에 적극적으로 가담하는 인간들인지 아닌지 알 수 없는 상황에서 굳이 손에 피를 더 묻히고 싶지는 않았다.
지금까지 그가 비령에서 살아남기 위해 묻혀온 피만 하더라도 충분하고도, 넘쳤다.
앞으로 비령 그룹이 무너지기까지 닿아야 할 피도 그 양이 만만찮을 것이었고.

영석은 그대로 자신의 맨션 내부로 들어갔다.

*

맨션의 내장은 고급스럽고 좋은 편이었다. 인테리어 가구들도 그렇고, 자동화된 건물의 여러 장치들도 그렇다. 현관에 들어가자 먼저 불이 켜졌다. 영석이 따로 스위치를 누르지 않았음에도 말이다.

영석은 자신의 집에 가끔 들어온다.

이미 그의 맨션 주소가 비령 그룹의 다른 조직원들에게 알려졌고, 한 번 털린 터라 말이다. 그가 비령 제약에서 살아나온 것을 모르던 시점에야 이미 수색을 마친 집을 다시 찾지 않을 거라 생각해서 종종 이용했으나, 최기욱을 죽인 이후부터는 그에 대한 증언과 목격이 돌아다닐 수 있어 걸음을 뜸하게 했다.

김영석이 살아 있다, 그가 비령 그룹의 간부들을 죽이고 다닌다, 뭐 이런 소문이 들리면 적어도 그를 찾기 위해 주변을 돌아보지는 않겠는가. 이미 한 번 털었던 그의 자택이라 할 지라도 다시금 조직원들이 찾아올 지도 몰랐다.

그런 연유로, 맨션에 들르는 것은 최소화하고 있었다.

지금의 방문도 잠깐 옷을 갈아 입고 챙길 물건들을 보기 위해서였다.

덜그럭

거리면서 그가 움직이는 다용도실의 작은 다구가 있었다. 어지럽게 놓여진 다구들은 용케 깨지지 않고 어두운 베란다 한 구석이다.

그의 집에 있는 모든 물건들을 그러했듯, 역시 도자기 종류도 살펴본 건지 원래 들어 있던 포장용 박스에서 튀어나와 있고, 바닥을 구른다던가 한다. 그가 정리를 해두었던 짐들은 전부 엉망이었고, 베란다 근처의 방바닥에 널브러져 있는 게 보통이었다.

입고 있던 얇은 바람막이 재킷을 벗은 그는 반팔 차림으로 베란

189

다에 들어가 도자기들을 꺼냈다. 불을 켜지는 않았다. 거실 쪽의 불만으로도 훤하게 보이기도 했고, 아예 빛이 없는 수준이라 해도 그의 눈은 상식을 초월한 안력을 자랑한다.

만일 정말로 빛이 없다면 그 역시 볼 수 있는 게 없겠지만, 보통 사람은 '없다'라고 느낄 정도로 희미한 광량만으로 영석은 앞을 볼 수 있었다. 그리고 정말 눈이 멀어버릴 정도의 어둠이라고 해도, 시각과 마찬가지로 비정상적인 발달이 이루어진 청각은 소리를 통해 주변 정물의 형태나 물체의 움직임까지 확인할 수 있었다.

아무튼, 그는 널브러진 도자기들을 한 군데로 잘 그러모았다. 차를 따르는 데 쓰는 다기들이나 골동품 접시들, 혹은 작은 항아리같은 모양들이었다. 꽃을 꽂는 용도도 있었고, 식탁 위에 올려놓고 수저 따위를 꽂아놓는 것도 있었다. 모양이나 그 값어치가 중요한 건 아니었다. 그럴싸하게 만들어진 항아리들은 정확히 말하면 일반적인 재질은 아니었다.

툭툭, 하고 항아리 하나를 쥐고 다른 것과 맞부딪혀 두드려보는 영석이다. 그 주둥이 부근에 손을 쑥 넣어서 잡는데, 한 개는 검은색의 작은 항아리였고 다른 쪽은 꽃이라도 꽂으면 좋을 듯 화려한 무늬가 있는 밝은 톤의 것이었다.

그는 그 굴곡진 부분을 툭툭 두드리며 강도를 가늠하듯 하더니, 정확한 부위를 찾았다는 듯, 곳 콱! 하고 두 개를 순식간에 강하게 쳤다.

그러고도 항아리는 깨지지 않았다. 확실히 일반적인 도자기 재질로 보이지는 않는다. 그렇기 때문에 물건들을 소란스럽게 들추면서 집을 수색했을 타인들의 손길에도 이것들이 남아 있으리라.

큰 가치도 없고, 모양은 예쁘지만 딱히 골동품도 아닌 그런 도자기류다. 아마 그냥 값싼 취미나 범죄 조직 입장에서는 의미 없는 실용품 정도로 여겨서 남겨둔 모양이었다. 급하게 집을 뒤졌다고는 하지만, 이 집에 있는 모든 물건을 가져가서 과학적으로 수사 분석을 할 것도 아니었고.

그저 불한당들이 들이닥쳐서 그들의 논리와 방법대로 숨긴 물건이 없는가 털어보았을 뿐이었다. 쉽게 발견할 수 있는 물건들은 대개 사라졌다. 그가 몰래 숨겨두었던 비상금이라던가, 가스총이라던가 하는 물건들 말이다.

연이 닿아 있는 무기상을 찾아가 밀매를 한다면 권총 정도까지는 구할 수 있었다. 저격이 가능한 소총류부터는 그로서도 조금 부담스럽기도 하고, 썼을 때 그 이후의 상황이 번거로워 지기에 어지간하면 지양하자는 편이기는 했다만.

만약 분명히 많은 화력이 필요한 상황이 온다면 또 어떤 식으로든 구할 수 있을지 모른다. 뒷 일을 생각하지 않고 일을 저지를 때는, 또 그 때의 방법들이 있는 법이었다. 당장 그와 닿아 있는 연이 아니라고 하더라도 건너건너 길을 가다보면 수단이 나올 수 있었고.

어쨌거나 그는 한국의 가장 거대한 범죄 조직인, 비령 그룹의 실세이자 간부였으니까 말이다. 조직원들 내부적으로도 지나친 화기류는 사용하지 말자는 분위기가 조장되었긴 하지만.

대한민국은 엄연히 군대가 주둔하고 있는 나라였고, 그 군대는 세계 유일의 분단국가에 있는 병사들로 막강한 화력과 규모를 자랑한다. 한국 내부에서 지나친 짓거리를 했다가 동원되기라도 한다면 영 사태가 좋지 않게 되리라.

위로 적대적 단체, 괴뢰 정부 따위를 두고 있는 나라에서 섣불리 국가적 위협을 초래했다가는 신경질적인 반응을 되돌려 받고 그대로 거대 조직 전체가 가루가 되어 흩어질 수도 있었다. 한국은 갱들이 활개치는 남미나 어디 아프리카의 국가가 아니었으므로, 어쩔 수 없는 일이다.

그래서, 일단은 이 정도로 만족하기로 했다.

깡!

하고 다시 강하게 항아리를 부딪혔다. 양 쪽에 정확히 동시에 금이 가기 시작했다, 까강! 다시 문질러 비비듯 때리고 서로를 이용해 짓눌렀다. 마침내 항아리의 파편이 떨어져 나오기 시작하더니 그것이 바스라진다.

그렇게 무겁지도, 두드려 봤을 때 강하게 느껴지지도 않는 종류였지만 잘 부서지지 않는다. 일반적인 도자기 재질 속에 강화 플라스틱 따위를 섞어 만든 것이었고, 충격에 강하다. 정확하게 깨기 위한 부위가 있어 그곳에 강한 충격을 주어야만 했다. 한 번의 충격으로 깨지지도 않고, 여러 번의 시도가 필요하다.

실수로는 어지간해선, 깨먹기가 힘든 도자기인 것이다.

단순히 튼튼하고 가벼운 도자기를 만들기 위해서 그런 물건을 주문 제작하고 그의 집 구석에 둔 것은 아니었다. 후두둑, 하고 부스러기가 떨어져 나오는 도자기를 마저 박살냈다.

그렇게 부서진 건 내부에서 파편과 함께 퉁, 하고 금속성의 소리가 나며 다용도실 바닥에 부품들이 떨어졌다.

제법 무게감이 있는 파편이었다. 항아리의 조각이 뭉텅이가 되어 떨어진 것은 아니었고, 항아리 내부에 넣어두었던 비밀스런 물건이다.

항아리는 일반적인 물건답게, 주둥이 안에 빈 공간이 있었다. 그러나 자세하게 만져 보면, 뚱뚱하게 조직된 항아리의 외부 면과 달리 내부 면의 공간이 작은 편이었다. 입구에 비해서 그리 크지 않은 내부였고, 불룩 튀어나온 외부와 안쪽 면 사이의 공간에 그가 숨겨두었던 물건들이 들어가 있었다.

후두둑 하는 항아리를 대강 손으로 다 떼어내고 그 부스러기를 치웠다. 안쪽 벽을 조직하고 있던 홀쭉한 모양의 도자기들이 남았고 껍질은 다 떨어졌다. 껍질과 내벽 사이에 있던 검고 뭉툭한 부품들을 그가 한 쪽으로 따로 정리해서 모았다.

그리 복잡하게 생긴 물건들은 아니었는데, 따로 정비를 하고 밀폐를 해서 넣어 두었던 총의 부품들이다. 그의 손에 아주 잘 익은 자동 권총을 분해해서 담았고, 그 총알들을 넣어둔 도자기들이었다.

그는 이왕 집에 온 김에, 숨겨 두었던 모든 총기류를 수거하기로 했다. 말했듯 대단한 물건은 없었다. 토카레프, 글록을 비롯해

권총 몇 정과 권총탄들을 모아두었을 뿐이었다. 이런 물건을 갖고 다니다가 수상쩍은 움직임을 보이고 어디 불심검문이라도 걸린다 면 낭패이기는 했지만, 그를 피하기 위해서 행색을 잘 차려 입고 다니는 중이었다.

영석은 무기가 들어 있는 도자기류를 깨서 권총 세 정과 그 탄 알 백여 발을 챙겼다. 그러고도 남은 것이 있어 몇 개는 깨지 않 고 그냥 따로 가방에 넣었다.

불량배, 들은 일반적인 실용품에는 그다지 관심이 없었는지 옷이 니 하는 것들이 그리 상하지 않고 남아 있었다. 가방 또한 마찬가 지였다. 그는 적당한 더플백 하나를 챙겨 내부에 도자기와 옷을 넣 어 짐을 챙기고, 가벼운 마음으로 온수 샤워를 한 뒤, 캐쥬얼한 복 장으로 맨션에서 나섰다.

약 30여 분 내에 볼 일을 마치고 집에서 나서는 영석이었고, 다 행히 오후 11시부터 11시 반 경 그 시간에 그의 맨션에 적이 들 이닥치는 일은 없었다.

철컥,

하고 빠른 걸음으로 집을 나서는 영석이다. 그의 걸음을 배웅하 듯 자동 전등의 불이 타이밍 좋게 꺼졌다.

*

"……김영석이 살아 있었다고?"

회장실.

비령 그룹의 회장은 김도건으로, 그는 샤프한 이미지의 준수한 외모를 갖고 있는 사내였다. 아직 연륜은 부족했고, 카리스마도 없다. 비령 그룹을 제대로 통솔할 정도로는 말이다.

그러나 아수라장이 될 뻔한 조직의 이권 다툼 속에서 죽지 않고 그 자리를 지켰다는 것만으로도 어느 정도의 역량은 인정받은 셈이다.

물론 아직까지 살아남았다는 것 뿐이고, 앞날은 어찌 될 지 모른다.

그런 자신의 능력이나 주변 상황에 대한 인지가 없지 않은 김도건이기에, 극도로 조심하며 동선을 짜고 움직이는 상황이기는 했다.

다른 계파간의 알력 다툼이 끝나고 그들 간의 이야기가 마무리될 때까지 그는 몸을 사리려 한다.

경찰계 쪽이 직접적인 인맥은 없었지만, 비령 그룹에 돈과 권력을 대주고 있는 유력자들 가운데는 건너건너 닿을 수 있는 방법이 있었다.

이미 비대한 몸뚱이를 가진 비령 그룹을 직접적으로 치기보다는, 경찰 조직으로서도 눈이 닿는 거리에 그들의 행동을 두고 어느 정도 제어하는 게 더 실리에 맞는 방법이리라.

비령의 회장인 김도건은 그런 면에 있어서 얼마든지 타협을 할 수 있었다. 대형 조직의 리더라고는 하지만 결국 그들의 활동을 도와주는 유력자들 앞에서는 한 수 접고 들어가는 모습을 보여야 할 때도 있었고. 당장 눈에 뵈는 것 없이 칼을 들이댈 수 있는 중간 간부들을 관리하기 위해서 또 적당한 가면을 쓰고 위엄 있는 인간을 연기해야 할 때도 있었다.

자신의 삶이 없다, 라고 느끼는 김도건은 넓은 평수의 회장실, 집무용 데스크 앞에 앉아 일상적인 연기를 하고 있었다.
빈틈이 없고 냉엄한, 또 지적이며 완벽한 그런 범죄 조직의 우두머리같은 모습을 말이다. 김도건을 잘 아는 자들은 그가 그런 성격이 아니라는 걸 무엇보다 잘 이해한다.

김도건은 하부로부터 올라오는 보고들에 자신의 신용을 의심해야 했다. 단체로 작당을 하고 헛소리를 하는 게 아니라면 그것이 사실일 가능성에 대해서 생각해야 한다.
그는 최기욱과 민형석이 죽었고, 또 김영석이 거기에 연관되어 있을지 모른다는 증언들에 일단 귀를 기울였다.

어쨌거나 명목상 그는 비령 그룹의 총수였고, 그 휘하에 두고 있는 모든 계열사의 직원들을 부릴 수 있는 권력이 있었다.
그의 말에 따라, 김영석을 가장 눈 앞에서 또렷이 목격한 자들 중 한 명이 그의 앞에 불려와 있었다.

"……예. 그 자가 김영석인 줄은 모르지만. 제약 연구소에 들어왔던 양복 차림의 남자는 분명 살아서 움직였습니다. 한 순간 얼굴을 본 게 다이지만 보여주신 사진과 일치합니다."
"……."

김도건은 잠시 말을 멎었다.

196

"……그럴 수 있나? 그러니까 그… Fa-1123이라는 건 들어본 적이 있는데."

김도건이 묻는 건 한 명의 연구원이었다. 스티브 블레어, 그는 회장실에서 비령 그룹의 총수와 면담을 하고 있었다.

방 전체의 바닥이 고급스럽고 부드러운 카펫 재질로 깔려 있었다. 회색과 녹색이 섞여 있는 톤이다. 묵직한 질감과 색깔의 원목 가구들이 몇 개 있었고, 그는 회장의 데스크 앞에 서서 이야기를 하고 있다.

데스크에 앉은 김도건이 있고, 깨나 걸음을 걸어야 하는 집무실의 문 근처와 김도건의 옆에 보좌를 보는 비서관들이 있었다. 문 옆에 선 자는 체격이 탄탄하고, 몸을 쓰는 작자였고 김도건의 의자 옆에 선 자는 안경을 끼고 마른 몸매를 자랑하는 남자였다. 다양한 사업적 일처리를 돕고 있는 전문가였고, 비령 그룹의 오래된 충신 이라 할 수 있는 자였다. 김도형의 때부터 그를 도와서 조직을 키우는 일을 맡아서 했으니. 도건보다 나이가 조금 더 들어 보이는, 40대 정도 되는 인상의 히스테릭한 사내다.

"…저도 해당 약물에 대해서는 잘 알고 있습니다만…. 과학자로서 알 수 없는 일이 일어났다, 라고 밖에 말씀을 드릴 수 없을 것 같습니다. 모든 약물 연구에 예상 내의 일만 일어나는 건 아니니까요….
해당 피험자가 특이한 신체 체질을 갖고 있었을 수도 있고… 먼저 투여되었던 신경석 약물 조르딕02의 과량 투여가 다른 반응을 일으켰을 수도 있고….

직접 그를 잡아다 검사를 해보지 않는 이상 알 수 있는 건 없을 것 같습니다."

거구의 서양인, 스티브는 그 앞에서 나름대로 공손한 말로 자신의 생각을 전했다. 어쨌거나 그의 말에 별로 거짓은 없었다. 그는 담백하게 말하고 있었고, 그것이 그가 요구받은 조건이었다.

비령 제약을 떠나면서 스티브 블레어는 조직과는 별로 연이 없는 사람이 되었다. 그가 조금 더 연구원으로서, 제약사에서 일하며 조직의 범죄들에 깊이 얽혔다면 혹시 모르겠지만- 그는 적절한 타이밍에 사표를 제출하고 퇴사를 잘 마무리했다.

그의 동료였던 박민준 역시 큰 문제 없이 퇴사를 한 것으로 알고 있었다. 그러나 비령 제약에서 일을 하던 계기인 두둑한 봉급에 문제가 있었다. 아마 스티브만 그런 일을 겪은 건 아닐 것이다. 비령 금융을 통해서 개설된 계좌에 락이 걸렸다.
그게 과연 합법적인 조치인가에 대해서는 의문이 들었지만, 범죄조직의 일에 더 깊이 파고들자니 걸리는 것이 많았다.

직접 찾아가 따지기보단 경찰을 통해 우회적으로 일을 처리하는 것이 나아 보였는데, 그렇게 함부로 건드리다가 또 봉변을 당할지 몰라 고민하던 차에 연락이 왔다.
예전 상관이었던 오시마 사토루, 라는 일본인 연구자에게 온 통화였다. 비령 그룹의 총수, 김도건이 그에게 묻고 싶은 일이 있다면서 말이다.

그는 이미 떠났던 비령 그룹과 다시 얽히고, 또 회장의 질문에 성심껏 거짓 없이 대답하는 조건으로 이전에 지급되었던 급여 통장의 건을 해결해주고 다소의 인센티브 역시 주기로 약속했다.

오시마 사토루가 자신의 사비로 준다며 이야기를 한 것이었고, 잠시 하루 시간을 내서 누군가와 면담을 하는 것치고는 말도 안되게 많은 돈이 당장 그의 통장에 들어왔다.

스티브 블레어는 지난 시절 사업 실패로 인한 빚을 지고 있었고, 당장 먹고 살 생활비의 걱정도 있었지만 채무금의 이자나 원금에 대한 고민이 있었는데 그걸 덜어줄 수 있는 연락이었기에, 수락했다.

그리고 곧바로 다음 날 시간이 잡혀 온 것이 지금의 상황이었다.

스티브 블레어가 자신의 집으로 들어가던 어느 날 밤, 영석을 목격한 그 날 이후의 일이었다.

"…그래… 어쨌든 사실이라는 말이지."
"…."
"……."
"…그렇다면, 그 김영석이 달라졌다는 사실에 대해선 어떻게 생각하나?"
"달라졌다고요."

김도건은 고갤 끄덕거렸다. 그가 듣는 정보들은 구체적이지만 믿을만한 것이 아니었다. 그는 눈 앞의 과학자에게 그걸 확인하고 싶었다.

"…김영석을 목격했다는 인간들이 있지. ……. 마치 괴물처럼 움직였다고 하는 군. 먼 거리, 높은 곳에서 뛰어 달리는 차에 올라타기도 하고, 강화 유리를 손으로 부수기도 하고…. 그…… 약물, Fa-1123이 그런 효과가 있는 물건인가?"

"…단순한 독입니다."

"……."

김도건의 말에 스티브가 잠시 고민하는 표정을 짓더니 말했다. 어쨌건, 그가 받은 3,000만 원과 이후에 돌려받을 통장 속 그의 급여들을 위해서라도 성심껏 대답하는 일은 필요했다.

결국 이 면담 시간 지나고 김도건의 말에 의해 오시마가 움직일 테니까 말이다.

"……. 한 가지 짐작가는 일은… 최초에 Fa-1123이 개발되었던 건 Zaice사의 연구원 중 한 명이 '초인약'을 만들기 위해 시작되었다고 알고 있습니다."

"초인약?"

"예. 인간의 신체 능력을 극대화하는 약물입니다. 그러나… 발상에 비해 현대 의과학이 따라가려면 아직 먼 수준이고… 약물로 뇌를 비롯해 인체 기능에 변화를 주기 위해 극단적인 효과를 만들 수 밖에 없었습니다.

……

결과적으로 Fa-1123은 시리즈의 다른 약물들과 마찬가지로 독물에 불과하고, 초인은 커녕 주사된 이후 1시간 여 내에 순식간에 장기가 녹아내리고 격통과 함께 괴사하는 물질이 되었습니다. 거기서 대체 어떤 기적이 일어나야 누군가가 살아나고 도리어 이전보다 더 건강하고 강한 신체가 되는 지 알 도리는 없습니다만……."

스티브의 설명은 딱히 거짓말이라 할 만한 게 아니었다. 눈 앞의 연구원이 만일 김영석을 불쌍히 여겨 작당을 한 뒤 풀어줬다고 하더라도, 김영석의 행방이 묘연하고 그 괴물같은 목격담의 해답이 되지는 않는다.

애초에 영석의 목숨은 제약사로 끌려가기 이전, 신경독에 주사되었을 때 어느 정도 결정이 난 셈이었기도 하다.

"······후우, 알겠네. 고생했네. 궁금증은 이만이야. 들어가 보게."
"······예, 알겠습니다."

스티브는 김도건의 축객령에 천천히 걸음을 걸어 뒤로 물러서려 했다. 문 옆을 지키던 건장한 체격의 남자나 비서관이 같이 움직여 그의 퇴실을 도왔다.

탁.

하는 소리와 함께 두텁고 또 아름답게 만들어진 목재 문이 닫혔다. 스티브 블레어가 나갔다.

"······."

김도건은 잠시 회장실에 혼자 남아 있었다. 문 바깥에는 24시간, 항시 가드들이 대기하고 있었다. 그의 뒤에 있는 통창은 빌딩 외벽 중에서도 특수한 것으로, 누군가 먼 거리에서 철갑탄으로 저격을 한다 해도 뚫리지 않는 종류의 것이었다.

상념과 고민은 사람을 병들게 할 때도 있었다. 그것이 불가해한 위험에 대한 고민이라면 더욱 그러하다. 김도건은 자신의 안위에

대해서 깊이 생각을 했고,

그가 듣게 된 것은 또 한 번 누군가가 죽었다는 이야기였다.

***

10. 빠른 퇴장

김도건을 당장 치는 일은 쉽지 않아 보였다. 그러나 그로 향하는 빈틈은 영석의 눈에 보인 것 같았다.

그는 적당한 호텔을 거처로 잡고 있었다. 도주 자금, 이라 해야할까. 활동 자금 자체는 그리 모자란 것이 없었다. 그는 비령 그룹의 간부로서 충실히 일을 해왔고, 조직의 자금을 얼마간 빼돌리는일 또한 어려운 게 아니었다.

그가 급여 조로 받았던 비령 물산에서의 월급 이외에도 다양한인센티브들이 있었고, 또 사업 자금 중 얼마는 뒤로 챙겨 그의 비자금으로 만들어두었다.
만약을 대비해서 이곳저곳에 뿌려 두었던 활동용의 비상 물품들중, 체크 카드에 들어있는 게 그런 비자금들이었다.

차명의 명의로 개설한 해외의 계좌였다. 적어도 비령을 없애기까지, 단기간 활동을 하며 바닥이 날 일은 없어 보인다.

영석은 IT건물 본사를 맴돌면서 김도건의 주변을 계속 배회했고,

그가 다른 이와 만난다는 사실을 알아냈다. 불안감을 이기지 못한 행동인 듯 보였다.

[……이걸로 끝인 겁니까?]

통화기 너머에서 목소리가 들린다. 영석은 어느 호텔 방 내부에 있었다. 그에게 전화를 하고 있는 이의 목소리는 서양인 남성의 것이다. 목소리만으로 그게 구분이 가지는 않았다. 네이티브가 아니기에 어쩔 수 없는 어색함이 조금 묻어나기는 하지만, 그의 한국어는 거의 완벽한 수준이었기에 그렇다.

영석은 그 목소리의 대상을 알고 있었다. '스티브 블레어'였다. 얼마 전에 그를 죽이려 들었던 남자였다. 뭐 그것을 썩 반긴다거나, 즐거워 하지는 않는 것 같았지만 말이다. 더 이상은 무해할 것 같아서 놔두고 있던 사내였다.

"……어. 잘했어. 고맙군. 이제 당신은 자유야. 이상한 짓거리를 벌이지만 않는다면 말이지."
[……이상한 짓거리는 이미 벌인 것 같지만.]
"웃기는 구만."

영석은 허허, 하고 웃고 말았다.

그는 지난 일을 떠올렸다.

단적으로 말해 영석은, 스티브의 집에 쳐들어갔다. 그가 살고 있는 맨션의 복도에는 CCTV가 따로 없었다. 일부러 설치를 해놓는 사람들도 있기는 하지만, 그의 집이 있는 9층은 아니다. 엘리베이

터에서 사람들이 오르내리고 또 계단이 있는 출입구에는 있긴 하지만, 현관들을 비추지 않는다.

영석은 아주 우연히, 스티브 블레어라는 인물이 자신의 집 근처에 살고 있다는 걸 알았다. 처음에는 그를 대수롭지 않게 여겼지만, 곧 쓸만한 생각을 해냈다.

비령 그룹 내부에 있었던 인물이니만큼, 무언가 말을 해놓는다면 언젠가 써먹을 데가 있지 않겠느냐, 는 심산이었다.

그래서 그는 벨을 누르고, 그의 집에 들어갔다.

그가 스티브의 집에 들어가기 위해 써먹을 수 있는 방법이 몇 개 있었지만, 가장 온건하고 양호한 방법을 써보았다. 직접 카메라에 얼굴을 보여주면서 말이다.

스티브 블레어는 한 때 자신이 죽였던 인물이 살아 돌아와, 그 옆 집에 사는 데다가 또 기억 속에 그로 인해 기절했던 장면까지 떠올라 사시나무가 떨듯 바들거리면서 떨었지만, 도리어 그 공포감이 문을 열어주는 데 일조했다.

왜인지 모르지만 괴물같은 남자가 문을 열지 않으면 무슨 짓을 벌일지 모른다는 생각에서였다.

영석은 그의 환대에 감사하며 스티브의 집에 들어갔고, 외출을 할 때 늘 품에 지니고 다니는 글록 권총의 총구를 그에게 보여주면서 환히 웃었다.

설득에는 얼마 시간이 걸리지 않았다. 그에게는 들을 귀와 볼 눈이 필요했다.

총구와 함께 가벼운 설득을 했고, 그는 스티브에게 도청 장치 하나를 건네준다.

혹여나, 비령 그룹 내부에 접촉할 일이 생긴다면 장치를 사용해 자신에게 내부 정보를 알려줄 것을 요청한 바다.

나름대로 리스크도 있었고, 쉬운 일은 아니었다. 그러나 스티브 블레어라는 인간이 초자연적인 상황에 큰 두려움을 느끼고 있었으며, 김영석에게 일종의 부채감 따위도 갖고 있다는 것이 영석에게 긍정적으로 작용했다.

총구를 디밀며 함께 건넨 부탁은 받아들여졌고, 때마침 오시마 사토루에게 연락이 오기도 했다.

스티브는 일이 복잡하게 된다고 생각했으며, 그의 간담의 크기를 시험해 볼 수 있게 되었다.

영석이 건네 준 도청 장치는 작고, 검고, 발견하기 어려우며 또 설치가 쉬운 것이었다.

해야 하는 일 자체는 간단했다.

검은 원형의, 단추 만한 크기로 제작된 도청 장치이다. 일반적인 단추보다는 조금 굵기는 하지만, 그것만으로도 상당히 먼 거리에서 주파수를 잡아 일정 반경 내의 음성을 듣기에는 충분했다.

김영석은 원래부터 늘 의심이 많고, 준비가 철저하던 인간이었다. 비령 그룹 내에서 그는 눈에 띄는 존재였고, 살아남기 위해 애써야만 했다.

조직의 간부가 되어 그가 풍족한 자금을 유용할 수 있게 된 이후부터 그는 다양한 저력을 갖추기 위해 노력을 해왔다.

그런 준비나 노력들이 무색하게, 순식간에 모조리 박살이 난 것이 현재 그의 상황이기는 했지만. 다행스럽게도 한 번 더 목숨을 얻어 살게 된 이상 그런 준비들을 사용하지 않을 이유가 없었다.

스티브는 회장실의 내부에 들어갔고, 천천히 걸어 그의 근처로 다가갔다. 회장실에는 여러 집무용, 혹은 응대용의 가구들이 있었다. 넓은 공간 안에 황량할 정도이기는 했지만 적어도 소파나 데스크, 탁상 따위는 있다.

집무실에 들어가기 전, 미리 신발 밑창에 버튼 형의 부착식 도청 장치를 붙여 두었다. 앞 코가 살짝 들려 있는 구두는 두께감이 조금 있는 검은 버튼이 붙어도 그리 티가 나지는 않았다. 그리고 회장을 향해 천천히 다가가다, 그의 말에 따라 소파에 잠시 앉으면서 신발 바닥을 카펫에 슬쩍 비비면 그것이 떨어진다.

소파에 앉기 전 그 근처에서 소파의 바닥 아래로 툭, 밀어 넣으면 끝이었다. 그것만으로도 스티브 블레어는 평생의 담력을 모조리 소진해야 했다.

그가 있는 곳이 다른 장소가 아니라 비령 그룹의 회장실이었기 때문이다.

조직 내의 평가는 카리스마가 다소 부족한 무늬만 회장인 작자였지만, 스티브 블레어에게는 거대한 범죄 조직을 거느리고 있는 절대적인 인물로만 느껴진다.

스티브는 김도건이 묻는 말에 성심껏 대답하며, 표정을 유지하며, 오시마의 부탁과 김영석의 협박을 동시에 들어주기 위해 안간힘을 다 썼다.

그 자리에서 무언가 수상함을 들키지 않고, 도청 장치를 놓은 뒤 무사히 살아 돌아왔다는 사실에 그는 감개무량했다.

빚의 상당부분을 갚고 생활할 돈을 얻기도 했고, 또 김영석에게 은근히 지고 있었던 부채감을 내려 놓은 기분이었다. 그가 죽이려 들었던 남자가 살아있다, 는 건 어떤 면에선 다행일지 모른다.

잘못을 저지른 대상에게 용서를 구하는 것이 가장 쉽고 또 직접적인 일일 테니까 말이다.

김영석은 스티브의 행동이 아주 만족스러웠다.

김도건이 스티브를 불렀던 날, 그가 소파 밑에 둔 도청 장치는 열심히 일을 하며 장치 내부로 수음을 하고 또 원거리에 있는 영석에게 회장실 내부 김도건의 말소리를 전달해주었다.

아주 쓸만하고 간편하며, 들키기도 쉽지 않은 장치였으나 음성 전달에는 반경이 있어 그는 IT 건물 본사 근처에 적당한 자리를 잡고 도청 내용을 파악하기 위해 지난 며칠 간 애를 써야만 했다.

별다른 내용이 없는 날도 많았고, 쓸데 없이 김도건이 자신의 안위를 걱정하며 밑사람들을 닦달하는 말들을 듣기도 했다.

그러던 와중, 비령 그룹의 한 계열사 간부와 만나기로 한 약속 시간과 장소를 알게된 것이다. 스티브가 한 일은 아주 쓸만하고 훌륭했다. 그에게는 큰 도움이었고.

"…몸 조리 잘하고, 멀쩡한 삶을 살길 바라지. 다시는 이상한 조직에 들어와서 싸이코패스 같은 실험따윈 하지 말고 말야."
[……FXXX that.]

스티브는 영어로 욕설을 뇌까렸다. 하하, 영석은 마른 웃음과 함께 덧붙였다.

"언제 또 나같은 인간이 살아나서 자네 턱을 갈길 지 모르는 일이니까."

자연계에서는 수많은 일이 일어날 수 있다. 그 모든 건 단순히 우연의 산물은 아니었다. 그러나 가능성이라는 면에서 보자면, 어떤 일이 일어난다고 해도 그리 이상한 건 아니었다. 세상이라는 건 사람의 좁은 시야와 뇌리 속 단상으로 전부 이해하기 어려운 면이 있었다.
영석의 존재 자체도 그러했고.

과학자로서 스티브 블레어는 일어난 현상에 대해 겸손할 필요가 있었다. 어쨌건 그는 짧은 교훈을 강렬하게 받았고, 다시는 비령 그룹과 같은 조직에 얽히고 싶지 않다고 생각하면서 오시마와, 또 영석과 모두 연락을 끊었다.

본국으로 돌아갈 지, 한국에 계속 있을지 고민하던 눈치였다. 영석이 그 이후의 일에 대해 염려를 해 줄 필요는 없었지만.

그는 호텔 방 내부, 밤에 편히 휴식을 취하며 다음 일정을 생각했다. 김도건을 처리하기에 괜찮은 장소였다. 그가 직접 제 발로 걸어 나오는 곳은. 그러기 전에 먼저 해야 할 일이 있었다.

*

어둔 건물.

어두움 속에 있는 놈들은 영 성질이 좋지 못한 때가 많다. 필요한 순간에, 휴식을 취함이 아니라 그 삶 자체의 근원이 어둠 속인 존재들은 말이다.

벌레나 범죄, 혹은 사회의 밑바닥에서 이상한 꿍꿍이를 꾸미고 있는 어떤 성격 파탄자도 어둠을 더 친근하게 여겼다.

그는 비령 그룹의 간부였고, '전호식'이라는 작자였다.

뚜벅거리면서 강건한 인상의 사내가 걷는다.

비령 엔터의 사장이기도 한 그는 당연스레, 조직 폭력배의 일원으로서 그 간부이다. 그가 거느리고 있는 조직원들은 따로 아지트가 있었다. 나름대로 화려하게 지어진 엔터의 본사 건물 외에도 말이다.

서울 외곽 어느 땅 값이 싼 동네. 버려진 듯한 상가 건물은 주인이 있는 곳이었다. 리모델링은 전혀 하지 않았고, 업자를 윽박질렀는지 어쨌는지, 아주 헐값에 사들여 주인 행세를 하고 있는 자가 전호식이었다.

4층짜리 건물이었고 아무런 내장이 없다. 시커먼 그 폐건물의 내부만은 아주 넓었다. 거대한 부지를 필요로 하는 게 아니라면 설비를 들여 놓고 공장으로 사용해도 좋을만치 말이다.

전호식은 아지트에 조직원들을 불러들여 자주 계획을 세우거나 실행 직전에 브리핑을 하거나 했다.

"……다 왔나?"

짧은 말이었다. 묵직한 음색이다. 구두로 또각거리면서 콘크리트 바닥을 밟는다. 폐건물이었고, 먼지 따위가 언제나 날린다. 가만히 문을 닫아두면 바람이 불지도 않았다. 실내에서 벌어지는 일들은 바깥에 잘 들리지 않는다. 주변은 공장 지역이었고, 이런 폐건물이 많았다. 경기도와 인접한 지역이다.
사람들이 지나 다니는 곳은 몇 블럭은 바깥으로 나가야 했고, 이 주변에서 괴성을 지른대도 누군가 듣기엔 어려우리라.

그렇기에 전호식이 애용하고 있는 곳이기도 하다. 일대는 그들의 구역이라 할 수 있었다.

검은 양복등을 입은 사내들이 도열해 있다.

문을 닫은 아지트 내부이다. 8월 말. 여름은 덥다. 후덥지근한 공기 속에 가져다 둔 대형 선풍기 몇 대가 간신히 돌아가고 있었다. 천장에는 조악한 전등 하나를 달아두었다. 임시 배터리를 이용하는 물건들로, 아지트는 여름에 덥고 겨울에 추웠다. 오래 머물면서 무슨 일을 할만한 장소는 아니었다.

특수하게 처리할 안건이 있을 때 모이는 곳이었지.

호식은 질서 정연하게 모여 있는 조직원들을 보며 만족했다. 다왔나, 라는 물음에 답한 건 그가 건물에 들어서자 자연스럽게 다가와 옆에 붙는 한 여자였다.

"예, 엔터사 직원 중 말씀하신 특작조 122명 총원 모여 있습니다."

비령 엔터테인먼트는 나름대로 중박, 정도는 쳤다고 업계 용어로 말할만한 엔터테이너들을 배출한 회사였다. 개중에는 배우도 있고, 가수도 있다. 그럭저럭 인지도를 쌓고 많은 활동들을 하며 중견 기획사로서 상당한 매출을 올리고 있지만 엔터 사의 수익 중 가장 큰 부분을 차지하고 있는 건 다양한 불법적 사업들이었다.

정계에서도, 혹은 재계에서도 1류라고는 말 못할 인물들이기는 했지만, 나름대로 각 분야에서 돈이나 힘을 모아 온 자들이 비령 그룹을 후원하고 있다. 그런 이들을 통한 성매매나 마약 류의 유통 업체로서도 활발하게 활동하고 있는 것이 비령 엔터테인먼트였다.

10여 층은 되는 번듯한 엔터사 빌딩에 주둔하고 있는 조직원들은 그득했고, 개들 중 '특작조'라고 불리는 자들만 모은 것이 지금이다.

여기저기 무력이 필요한 곳에 용역을 빌려주고 돈을 얻는 것은 비령 그룹 내의 계열사들이 공통적으로 하고 있는 일이었다.

그 외에도 다양한 이권 사업에 참여하면서 돈을 그러모으고 있다. 불량배들, 그 이상도 이하도 아닌 비령이었지만 오래도록 유력자들과 붙어 먹으면서 그들의 사업을 몇 가지 받아 직접 처리하는 것이 많아졌다.

각 계열사들의 이름은 대표적인 사업의 방향이었지, 그들이 엔터테인먼트 사를 내세우고 있다고 그것만 하고 있지는 않았다. 뒤를 가리지 않고 무슨 일이든 하는 자들이 모여 있는 비령 그룹은 쓰기 좋은 말이었고, 뒤가 구린 일들을 처리해야 하는 자들이 모여드는 아지트와도 같은 역할을 했다.

그들이 하고 있는 여러가지 사업들 중 연예계의 인간들에게 마약을 팔고, 유통시키는 게 가장 사회적으로 영향력이 큰 범죄이기는 했다. 여러 인사들의 중심지 역할을 하는 사교계의 인간들에게 마약을 전달하면, 그들로 인해서 다시 온갖 업계와 분야로 그 마약이 퍼져나가게 될 테니까 말이다.

대한민국에서 보기 드문 수준의 쓰레기이자 엔터 사의 대표인 전호식은 그리 큰 체구는 아니었지만 단단한 체격이었다. 상체가 발달해 있었고, 등에 힘을 주고 걸어다니는 식이다. 맞춤 정장으로 입은 검은 양복이 조금 타이트해 보이기도 했다.

평균적인 키에 조금 더 두터운 몸통. 길지 않은 머리를 깔끔하게 뒤로 넘겼고, 겉으로 보이는 곳에는 문신 하나 없는 사내였다. 목이 조금 굵고 턱 역시 각진 편이다. 전체적으로 사내답게 생겼다고 할 만했다.

그는 옆에 서서 그를 따라 걷는, 자신보다 더 키가 크고 늘씬한 여성 비서의 말을 들으면서 도열해 있는 조원들의 사이를 지났다.

또각거리면서 콘크리트를 밟아 소리를 냈고, 말소리나 기침 소리 하나 내지 않는 침묵이 모여 있는 사내들의 정예스러움을 증명했다.

특작조, 라는 것은 엔터 사를 대표하는 전호식이 여러 번의 의뢰나 분쟁 끝에 만들어 둔 체제였다. 어느 정도 실력이 있는 놈들만 가려서 뽑았고, 그들을 다시 한 번 여러 번의 교육 끝에 마치 현대의 기사단이라도 되는 양 잘 부릴 칼들로 완성시킨 형태다.

어지간한 전문 싸움꾼보다도 더 운동 능력들이 좋았고, 칼솜씨나 혹은 급할 때 권총 류 정도를 다루는 솜씨나 어중이 떠중이들과는 비교할 수 없었다. 그들 내부간에도 어느 정도 경쟁을 시켰고, 엔터 사에서 나오는 영업 이익이나 여러 종류의 불법 자금들 중 일부를 그들을 위한 특별 인센티브로 제공한다.

순위를 나누어서 일정 등급 이상 올라가면 연봉이 차등 지급되고, 아무런 부상 없이 외부 의뢰 따위를 완수하면 더 큰 돈을 준다.

대개가 젊은 놈들이었고, 20대에서 많아야 30대 초반 정도로 이루어진 혈기 왕성한 놈들이다. 어린 시절에 운동을 했던 경험이 있는 전호식이 직접 갈구고 닦아 만든 부대나 비슷한 것이었다.

전호식이 그들을 모은 건 다른 이유는 아니었다. 슬슬 기류나 조짐이 이상하다고 느꼈던 탓이었고, 그런 분위기가 아니더라도 움직일 타이밍이 되었기 때문이다.

비령 그룹의 일각을 차지하고 있으니, 당연히 다른 누군가를 죽이려는 속셈이다. 이전까지 눈치만 보던 자들이 비령 물산을 다같이 처치하고 나서는 숨죽이고 있었다. 먼저 움직였다가 괜한 칼을 맞을까 봐.

그런 조용한 암투 속에서 뒷공작은 계속해서 이루어진다. 어디 외부에서 신분도 제대로 없는 하류 인생, 킬러라도 고용해서 간부들을 노리는 시도도 몇 번 있었다. 공고하게 연합을 다져서 저들끼리 싸우지 않기로 하며 외부 압력을 덜려는 놈들도 있었고.

최기욱과 민형석은 나름대로 견고한 세력을 구축했고, 또 안전하다고 생각했을 것이다. 실제로 제법 강력한 우승 후보라고 할만한 작자들이었다, 둘은.

전호식은 그 둘이 비참하게 죽었다는 소식을 듣고 위기감을 느꼈다. 엔터 사의 대표인 그는 공업사 쪽과 미리 손을 잡은 상태였다. 섣불리 다른 놈들이 미리 치지 못하도록 행동거지를 조심했고, 조금만 김새가 보이면 먼저 치리라는 각오로 지난 짧은 시간을 보내왔다.

그들이 움직인 건 아무것도 없었지만 간부들 중 대가리 두 놈이 목숨을 잃었다. 다들 아닌 척을 해도 술렁거리면서 방법을 찾을 것이다.

여기저기 수소문을 하는 자들 사이에서 비령 물산의 '김영석'이라는 이름이 들려오는 것도 같았다. 전호식은 그게 개소리라고 확신을 했다. 자신의 정체를 들키기 싫어하는 어떤 간부 놈이 죽은 자의 이름을 팔아서 신비감을 형성하려는 시도라고 생각한다. 그게 아무래도 말이 맞지 않겠는가.

직접 죽은 최기욱과 민형석이 살아나서 그에 대한 증언을 해주지 않는 이상에야, 김영석의 범행이라고 생각하기는 어려운 일이었다. 김도건의 경우에는 직접 관련자들을 불러다가 목격담을 들으면서 기이한 사태에 대해 달리 생각해보고 있었지만, 전호식은 아니었다.

그는 일단 최기욱의 자리를 노리려 하고 있었다.

아직 버젓이 살아 있는 놈들을 건드리는 것보다는, 대가리가 죽어 어수선한 상황에 처해 있는 계열사를 노려 그 간부진들을 굴복시키고 자신의 것으로 억지로 만드는 것이 더 쉽고 남는 장사처럼 보였던 탓이다.

비령 금융은 다른 계열사들이 그렇듯 각 업계에서 나름의 자리를 구축한 중견 기업이라 할 수 있다. 비령 그룹 자체의 역사는 짧지만, 그들 계열사의 모체가 되는 각 기업들의 각종 자본, 설비, 인력 들은 애초에 있던 회사들을 불법적인 방법으로 끌어들여 그 위에 비령의 이름을 덧씌운 것이기에 그렇다.

그렇게 내실을 갖춘 회사들을 다시 비령 그룹을 키우기 위해 전략적으로 모인 여러 유력자들의 뒷배와 지원으로 인해 분야에서 자리를 다잡게 시킨다.
어느 정도 사업적으로 매출이 나기 시작하고, 사회 각 방면에서 영향력을 끼치며 무시할 수 없을 정도가 되면 깊이 침투하여 각종 인맥을 동원하고, 곧바로 불법적인 일에 착수하는 것이다.

거미줄처럼 얽혀 있는 비리의 연속이었고, 손쉬운 이익을 위해서 잠깐의 양심을 팔 자들이 한국에 깨나 즐비했다. 그런 이들은 장부나 기록으로 인해 비령 그룹과 떨어질 수 없는 관계들이 되었고, 경찰조차 종래에는 한 번에 잡아들이기가 어려운 수준의 덩치와 영향력이 된 것이다.

당장 비령 엔터테인먼트를 통해서 마약을 공급받고 있는 연예인들의 숫자만 하더라도 수십 명 정도가 되었다. 걔들 중 높은 자리에 있는 유명인도 있지만 하류 연예인들도 있다. 그러나 다시 그들의 인맥을 통해서 여러 사람들을 만나고 나면, 결과적으로 한국 연예계의 상당 부분은 비령 엔터가 닿을 수 있는 곳이 된다.

마약은 손쉽게 접할 수 있었고, 강력한 중독성을 갖는다. 지독한 악의만 있다면 누군가의 인생을 파탄내는 것은 쉬운 일이었다. 돈을 갖고 벌어올만한 수준의 연예인들은 그렇게 비령 엔터테인먼트에 그들의 사비를 지원해주었다. 물론, 마약에 대한 값을 지불하는 것이었다.

그렇게 얻은 연예인들의 활동비, 수입금은 특작조의 인센티브가 된다.

또각.

어둔 건물. 더운 실내다. 전호식도 이 장소에 오래 있는 것은 고되고 불쾌하다. 그럼에도 불구하고 군소리 하지 않고 있는 것이 그의 성격이다. 모든 일에 있어서 인내심은 중요한 요소였다. 승부에서 최후에 승리를 차지하기 위해, 가장 중요한 덕목이기도 했다.

끊임없이 기다리는 것. 쟁취하기 위해 기회를 엿보는 것 말이다.

대형 팬이 돌아가면서 내부 공기를 순환시키는 소리 외에는 고요하다.

한 가운데 길을 걸어, 그가 앉기 위해 마련된 안락한 의자 하나에 털썩, 그가 주저 앉았다. 그를 위한 자리였고 가죽 의자 하나를 가져다 두고 그가 나타나기 전에 한 번씩 닦게 된다. 비서는 자연스럽게 전호식의 옆에 서 있었다.

그는 한참이나 뜸을 들인 뒤에 말했다.

"…브리핑."

호식의 말에 비서가 옆에 있다가 입을 연다.

"완료했습니다."
"오케이."

호식은 가죽의자의 등받이 뒤로 등을 파묻었다. 양복 바지 주머니에 들어 있던 휴대폰을 꺼내어 쥐고 시간을 본다. 8월 29일. 오전 10시 11분. 여름이 거의 끝나가는 날이었다. 아직도 그 더위가 끝날 기미는 없어, 어쩌면 9월 달까지 지속될 지도 모른다.

전호식은 더위와 사내들이 뿜는 호흡, 여러가지 것들로 짜증을 느끼면서 동시에 짓눌렀다. 그는 인내력이 좋은 사람이었다.

"……내일 14시 경 기욱이네를 친다. 대가리가 없는 놈들이니까 별 거 없겠지. 미리 말해뒀으니까 걱정말고 하면 되고. 어…."

그가 휴대폰 화면을 넘겨 정리해둔 메모 따위를 본다.

"비령 금융 임원진 총회가 있는 날이니까 다들 모일 거야. 공업 쪽 애들이 도와주기로 했으니까 너네는 곧바로 건물 들어가서 로비부터 이사진들 싹 다 처리하면 된다."
"……."

호식은 이미 알고 있으리라 생각하고, 짧게 내용을 다시 읊었다. 늘 똑같은 말을 반복하면서 사내들의 낌새를 보는 호식이었다. 제대로 전달이 다 되었구나, 하는 생각을 한 그는 휴대폰을 넣으면서 말을 접었다.

"…내일까지 몸관리 잘하고. 잘 자고. ……해산."

드륵.

폐건물 주변에는 당장 사람이 없었다. 가동하지 않는 공장 건물들이 몇 개나 겹쳐 있었고, 드문드문 블럭 안으로 들어오는 사람들도 먼 거리에서 볼 일을 보고 나간다. 두터운 콘크리트로 막혀 있는 실내는 다소 소란이 나더라도 주변에 퍼지지 않을 것이다.

들어오는 방면에 CCTV가 어디 쪽에 설치되어 있는지, 도 전호식은 잘 알고 있었다. 별로 없다는 걸 알았기에 이 위치를 그들의 아지트로 선점한 것도 있었고.

그런 으슥한 건물 실내로 굳이 찾아와 들어올 만한 사람은 아무도 없다. 건물 1층. 그들이 모여 있는 폐건물의 낡아빠진 슬라이딩 도어를 미는 인간은 확실히 정상이 아니었다. 심지어 몇 놈은 건물 근처에서 망을 보라고 시켜두기도 했는데.

창문의 덧창 사이로 아침의 햇빛이 새어 들어온다. 어설프게 이동용 배터리를 사용해 켜 둔 전등은 쉽게 흔들리면서 실내를 어지럽힌다.

낡은 콘크리트 기둥들이나 폐자재들 따위가 있고, 그를 제외하면 사람으로 빼곡히 들어찬 건물 내부에 문을 열고 얼굴을 내민 건 한 사내였다.

전호식은 갑작스럽게 모임 간에 열린 건물의 문을 보고 짜증스런 표정조차 나지 않을 정도의 기이함, 분노, 황당함 따위를 느끼면서 시선을 집중했다.
그의 눈에 멀리 있는 사내의 얼굴이 보였다. 그는 웃고 있었고, 익숙한 얼굴이었다. 지나치게 익숙해서 도리어 이해가 가지 않았다. 뒷거리에서 누군가가 죽었다는 이야기는 무엇보다도 확실한 정보가 될 수 밖에 없다.
직접 손을 댄 인간들이 즐비하고 또 누군가 죽었다거나, 살았다거나 하는 일이 곧 정쟁의 판도를 바꿀 수 있기에 확실한 일처리가 필요할 수 밖에 없다.

힘의 논리로 살고 있는 그들이었기에 전투의 결과와 성패에 대해서는 누구보다 민감하고 확실하게 정보를 파악하는 게 뒷거리의 생리였다.

그래서 전호식은, 죽은 인간을 다시 보았을 때 어떤 표정을 지어야 할 지 몰라 그저 눈만 크게 떴다.

김영석은 낡은 폐건물, 공장으로 써도 될 법한 콘크리트 건물 내부에 들어섰다. 별다른 말은 하지 않았고, 그는 그대로 들고 있는 권총을 겨눌 뿐이었다.

그 모습이 아주 이질적이고, 별다른 소란도 없었으며 그의 기색 역시 기이할 정도로 자연스러워서 특작조의 인물들 역시 상황을 파악하고 대처하는 데 1, 2초 정도 공백이 생겼다.

영석에게 있어 그 시간은 배럴을 늘려 유효 사거리를 늘린 특제의 글록 권총으로 정확히 조준을 하고 맞출 부위를 골라 쏘는데 충분하고도 남는 시간이었다.

그래서 그렇게 했다.

탕, 타타타탕!

연사가 아닐까 싶은 수준으로 빠르게 발사되는 조준 점사가 연이어 벌어졌다. 김영석은 초인적인 능력으로, 한 발의 권총을 두 손으로 파지한 뒤 반동으로 흔들리는 찰나조차 조준점을 위한 이동으로 사용해 원하는 곳에 모두 총알을 꽂아 넣었다.

마침 전호식은 아주 좋은 위치에 떡하니 앉아 있었다.

총알이 날았다.

그대로 누군가 반응하기 이전에, 음속을 넘는 속도로 허공을 가른 납탄은 앉아 있는 전호식의 명치와 어깨, 미간과 오른팔 상완, 그리고 복부 하단의 왼쪽을 파고 들었다.

깔끔한 사격이었고, 사람이 죽기에 충분하고도 지나친 충격이었다.

마지막으로 멈춰 있는 것처럼 느려 터지게 보이는 인간들에게 영석은 적당히 가늠을 해 한 발을 더 쏘았고, 정예병처럼 서 있던 특작조 중 한 사내의 머리를 노려 맞춘 뒤 그대로 슬라이딩 도어를 열고 다시 나갔다.

곧 지옥의 소리처럼 들리는 온갖 비명과 괴성이 터져 나오면서 멈춰 있던 사내들이 움직였다.

***

-1권 끝-